KB023769

사건과 인물로 본
임시정부 100년

사건과 인물로 본 임시정부 100년

1판1쇄 발행 2019년 4월 26일
1판3쇄 발행 2019년 8월 20일

지 은 이 문영숙, 김월배
펴 낸 이 김형근
펴 낸 곳 서울셀렉션㈜
편 집 진선희, 김다니엘
디 자 인 김지혜
마 케 팅 김종현, 황순애

등 록 2003년 1월 28일(제1-3169호)
주 소 서울시 종로구 삼청로 6 출판문화회관 지하 1층 (우03062)
편 집 부 전화 02-734-9567 팩스 02-734-9562
영 업 부 전화 02-734-9565 팩스 02-734-9563
홈페이지 www.seoulselection.com

ISBN 979-11-89809-03-4 03910

책 값은 뒤표지에 있습니다.
잘못된 책은 구입하신 서점에서 바꾸어 드립니다.

•자료사진 출처: 독립기념관, 국가보훈처

사건과 인물로 본
임시정부 100년

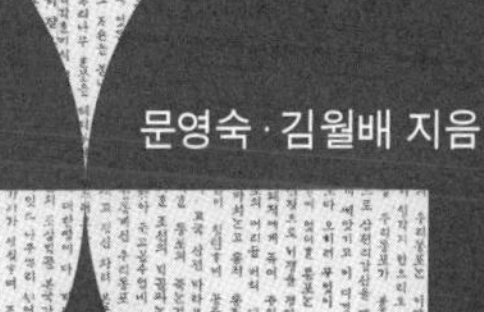

문영숙·김월배 지음

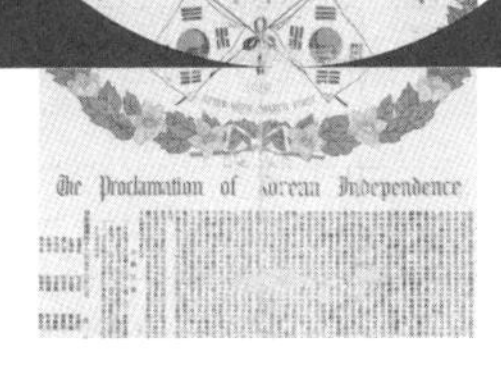

1919
2019

차례

중국 자싱과 항저우

1932년 5월~ 1935년 11월

3 임정과 김구의 피난 시절

임시정부 이동 시기

1935년 11월~ 1939년 4월

4 수로 3,000리 육로 3,000리

중국 충칭 **5**

임시정부의 황금기

1940년 9월~
1945년 11월

중국 시안 **6**

국내진공작전과 일본의 항복

1941년~
1945년 8월

부록 | 중국 내 임시정부기념관

1

최초로 탄생한 임시정부 '대한국민의회'

러시아 연해주 | 1905년~1919년

연해주, 독립운동의 영웅들이 모여들다

러시아 연해주 답사는 늘 가슴이 무겁다. 고구려 옛 땅과 발해를 지키지 못한 아쉬움과 강제로 중앙아시아로 옮겨간 한인(카레이스키)들의 아픔을 알기 때문이다. 인천공항에서 두 시간 반이면 도착하는 땅 연해주는 그 동안 너무 멀리 있었다.

안창호, 신민회를 창립하다

서양 열강들이 제국주의 식민지 확보에 열을 올리던 1860년대, 조선 백성들은 탐관오리의 학정과 굶주림에 시달렸다. 굶어 죽지 않기 위해 함경도 도민들은 대거 두만강을 건너 만주와 연해주 쪽으로 옮겨가 황무지를 일구며 살았다.

1905년 을사늑약과 1907년 정미7조약으로 더는 국내에서 항일투쟁을 하기 어려웠던 이들이 만주와 러시아 연해주로 이주하거나 망명했다. 먼저 그곳에 정착한 한인들과 함께 독립운동을 모색하기 위해서였다.

안창호 항일 비밀결사 단체인 신민회 창립 회원이었으며, 러시아의 대한국민의회와 상하이 대한민국임시정부, 한성임시정부를 통합시킨 대한민국임시정부의 주역이다.

을사늑약 이후 일본에 외교권을 빼앗긴 대한제국은 일본의 손아귀에 야금야금 목이 조였다. 1906년 말부터 1907년 초에 걸쳐 미국 캘리포니아주에서 안창호安昌浩, 이강李剛, 임준기林俊基 등 재미 애국지사들이 대한신민회大韓新民會를 발의했다. 조국의 국권을 회복하려는 목적이었다. 이후 안창호는 재미 동지들과 함께 작성한 〈대한신민회 취지서大韓新民會 趣旨書〉와 〈대한신민회 통용장정大韓新民會 通用章程〉을 가지고 1907년 4월, 국내로 들어와 당시 국내에서 애국계몽운동을 벌이던 양기탁梁起鐸, 전덕기全德基, 이동휘李東輝, 이동녕李東寧, 이갑李甲, 유동열柳東說 등과 함께 신민회新民會를 창립했다. 총감독 양기탁, 총서기 이동녕, 재무원 전덕기, 그리고 집행원(조직책)은 안창호가 선출되었다. 신민회는 항일 비밀결사단체로, 조직을 철저히 관리했다고 한다. 일반 회원들을 종적으로만 연결해, 동지가 누구인지 전혀 알 수 없었고 회원도 일정 기간 엄중하고 엄격한 심사를 거쳐 애국 사상이 투철하고 국권 회복에 헌신하려는 의지가 확고한 인물만이 될 수 있었다고 전해진다.

신민회의 기본 전략은 국내에서는 교육과 식산 활동으로 신민을 육성하고, 국외에서는 독립군 기지를 건설하고 독립군을 양성하는 것이었다.

국내외에서 민족 역량이 축적되면 적절한 기회에 일제와 무력으로 대결하여 국권을 회복하려 했다. 최종 목표는 새로운 나라新國 곧 공화정 체제의 국민국가를 수립하는 것이었다.

현재 신민회 회원 수도 정확히 파악되지 않는다. 비밀결사였기 때문이다. 한국사데이터베이스에서는 안창호는 300여 명으로, 김구는 400여 명, 박은식朴殷植은 800여 명이라 했는데, 대체로 회원이 800여 명이었을 것으로 추측한다.

신민회를 움직인 중심 인물들은 언론계과 교육계, 실업계 종사자뿐만 아니라 기독교계와 무관 등 출신이 다양했다.

언론계 인사로 양기탁, 신채호申采浩, 박은식, 장지연張志淵, 임치정林蚩正, 옥관빈玉觀彬, 장도빈張道斌 등 〈대한매일신보大韓每日申報〉와 〈황성신문皇城新聞〉에서 활동했던 사람들이었다. 윤치호尹致昊, 전덕기, 이상재李商在, 이동녕, 이준李儁, 최병헌崔炳憲, 김정식金貞植, 김구金九 등 기독교청년회基督教青年會와 상동교회尙洞教會, 상동청년학원尙洞青年學院 등에 관계했던 이들과 안창호, 이종호李鍾浩, 이승훈李昇薰, 최광옥崔光玉, 이동녕, 안태국安泰國 등 교육계에서 활동했던 사람들도 있었다. 실업계 인사들로는 주로 서북지방에서 상공업에 종사했던 이승훈, 안태국, 이종호, 최응두崔應斗, 양준명梁濬明 등이 있었으며, 이동휘, 이갑, 유동열, 노백린盧伯麟, 조성환曺成煥, 김희선金義善 등은 무관 출신이었다.

안중근, 최재형을 만나다

한편, 신민회를 통해 안창호의 강연을 듣고 감동한 안중근安重根은 황해도 진남포에서 삼흥학교三興學校를 설립하고 돈의학교敦義學校를 인수하여 민족 교육에 진력했다. 하지만 1907년 헤이그 특사 사건 후, 일제는 고종황제를 강제로 폐위시켰고, 대한제국 구식군대도 강제로 해산했다. 안창호와 교류하던 안중근은 국내에서 활동하는 것이 더는 의미가 없다고 보고 해외로 나가 항일운동을 하기로 결심했다.

안중근은 그해 북간도로 망명했지만, 이미 간도는 일본 수중에 들어가 있었다. 그가 일본군을 가까스로 피해 연해주로 갔을 때, 수많은 의병이 안중근처럼 두만강을 건너와 연해주 땅에서 항일투쟁을 벌이고 있었다.

안중근은 그곳에서 최재형崔在亨을 만났다. 최재형은 간도관리사 이범윤李範允과 헤이그 특사였던 이위종李瑋鍾과 함께 1908년 항일 독립단체인 동의회同義會를 조직했다.

> "무릇 한 줌 흙을 모으면 능히 태산을 이루고
> 한 홉 물을 합하면 능히 창해를 이루나니
> 작은 것이라도 쌓으면 큰물을 이룬다."
>
> - 동의회 취지서에서

동의회 창설에 함께 한 안중근은 동의회 평의원으로, 동의회 산하 의병부대인 대한의군大韓義軍을 이끌고 국내진공작전을 펼치게 되었다. 안중근이 이끄는 대한의군은 최재형의 전폭적인 지원으로 신아산전투와 홍의동

해죠신문

◉별보 別報

▲동의회취지서
▲同義會趣旨書

〈해조신문〉에 실린 동의회 취지서

"총알을 피하지 말고 앞으로 나아가 붉은 피로 독립기를 크게 쓰고 동심동력하여 성명을 동맹하기로 청천백일에 증명하노니 슬프다 동지 제군이여. 동의회 총장 최재형"

전투에서 대승을 거두었다. 연이어 영산전투에서도 승리하여 일본군 포로 7명을 생포했다. 평화사상을 중시하던 안중근은 포로들에게서 다시는 전쟁에 참여하지 않겠다는 약조를 받고 석방했다. 하지만 포로들은 풀려나자마자 대한의군의 비밀루트를 일본군에 알렸다. 그 후 이어진 전투에서 안중근의 대한의군은 일본군 5,000여 명을 만나 처참하게 패배했다.

안중근은 겨우 탈출하여 목숨만 부지한 채 최재형에게 귀환했다. 그러나 최재형 역시 일본의 압력을 받은 러시아에 의해 무장해제당한 상태였다.

최재형, 그는 누구인가?

크라스키노의 '단지동맹비'를 찾은 날, 비가 추적추적 내렸다. 우리를 안내하던 최재형기념사업회 연해주 지부장 조미향 씨가 묻는다.

"우리가 지금 달리는 이 길을 누가 만들었는지 아세요?"

모두 어리둥절하며 고개를 갸웃거린다.

조미향 지부장이 힘주어 말한다.

"바로 독립운동가 최재형 선생입니다. 이 길은 선생이 한인들과 함께 만든 길이에요. 당시 도로공사 현장에서 한인들은 러시아인들에게 차별대우받았습니다. 러시아말을 유창하게 했던 최재형 선생이 한인들을 도왔습니다. 한인들이 선생을 의지하자 제정러시아는 선생에게 인부 300명을 지원하면서 도로공사를 맡겼답니다. 한인들은 최재형 선생과 한마음이 되어 도로공사를 성공적으로 마쳤죠. 그 공로로 러시아 차르 니콜라이 2세는 선생에게 은급훈장을 하사합니다. 최재형 선생은 상하이임시정부 초대 재무총장에 임명되었던 분입니다. 임시정부 수립 100년을 맞아 널리 알려져야 할 분이에요."

최재형은 함경북도 경원에서 노비의 아들로 태어났다. 최재형이 아홉 살 되던 해, 그의 가족은 기근과 학정을 피해 두만강을 건너 연해주로 갔다. 하지만 여전히 빈곤에서 벗어나지 못하자, 그는 열한 살에 배고픔을 벗어나려고 가출한다. 포시에트 항구에 가면 뱃사람의 심부름이라도 하면서 지낼 수 있지 않을까 해서였다. 최재형은 꼬박 사흘을 걸어 포시에트 항구에 도착했지만 지쳐 쓰러진다. 다행히 선한 러시아인 선장에게 발견되

최재형 러시아 항일독립운동의 대부이자 러시아 한인들의 부모 역할을 하였다. 상하이 대한민국임시정부 초대 재무총장에 임명되었다.

었고, 그의 보살핌으로 견습선원이 되어 1871년부터 1877년까지 6년 동안 상선을 타고 세계를 두 번이나 돌아본다. 선장 부인은 최재형을 아들처럼 여기며 글로벌 청년으로 변화시킨다.

열여덟에 블라디보스토크로 돌아온 최재형은 말이 통하지 않아 차별대우를 받던 연해주 한인들을 도우며 그들의 대변자가 되었다. 한인들은 최재형을 은인으로 여겼다.

얀치헤 읍장이 된 최재형은 한인 사회의 지도자가 된다. 노비의 아들 최재형이 낯선 땅 러시아에서 한인 지도자로 거듭난 것이다. 연해주 한인들은 무한한 애정을 담아 최재형을 '페치카(난로)'라는 별명으로 불렀다.

이후 제정러시아의 동방정책을 기회로, 최재형은 군납업을 통해 막대한 부를 이룬다. 어마어마한 부를 쌓은 최재형은 한인 2세 교육을 위해 정교회 학교 32개를 세웠고, 우수한 학생은 모스크바나 상트페테르부르크로 유학을 보냈다.

이후 항일 독립운동에 모든 재산과 자신의 생명까지 바친 최재형. 그의 위대한 정신을 그가 건설한 도로를 달리면서 다시금 되새긴다.

블라디보스토크에서 반나절을 달리는 동안 창밖으로 대평원이 끝없이 펼쳐진다. 잡초가 우거진 텅 빈 농경지가 길 양옆으로 고스란히 드러났다. 논둑과 밭둑의 경계가 뚜렷하다.

피땀으로 일군 땅을 뒤로하고 스탈린의 명령 한마디에 하루아침에 이곳을 떠나야 했던 카레이스키의 역사가 안타깝게 떠오른다. 스탈린의 붉은 명령서에는 어디로 가는지, 왜 가야 하는지 자세한 설명이 없었다. 간단한 가재도구와 씨앗을 챙기라는 말뿐이었다. 아무것도 알지 못한 채 시베리아 강제이주 화물열차에 실려 중앙아시아 황무지에 버려진 연해주 한인들. 그들이 살던 집터가 있을 법한 땅에는 붉은 벽돌이 세월의 풍상을 겪은 채 나뒹군다. 연해주는 지금도 땅을 파면 연자방아 맷돌이나 녹슨 쟁기, 보습 등이 나오는 비옥한 땅이다.

연해주 한인들은 어떤 사람들이었을까?

이 땅 이름은 크라스키노. 중국어로는 연추, 러시아어 옛 이름은 얀치혜였다. 바로 여기에 고구려 성이 있었고, 발해 염주성이 있었고, 최재형의 대저택이 있었다. 최초의 독립운동단체인 동의회를 발족한 곳도 최재형의 저택이었다.

동의회 산하 의병부대인 대한의군의 숙식을 제공할 정도로 규모가 컸다는 최재형의 저택은 어디쯤 있었을까. 안중근이 이토 히로부미伊藤博文를 주살하기로 결심하고 사격 연습을 한 곳도 바로 최재형 저택이었다. 후미진 골방에서 아무도 모르게 사격 연습을 했다는 내용이 최재형의 다섯째 딸 올가의 자서전에 나온다. 대한제국 간도관리사였던 이범윤은 최재형과 연합해 3,000~4,000명에 달하는 의병을 규합했고, 그 의병 중심 기지는 최재형 저택이 있는 이곳 크라스키노였다.

안중근이 한인들에게 '인심결합론人心結合論'을 외친 곳도 바로 이곳이었다.

> "깨어라! 연해주(노령)에 계신 동포들아! 본국의 이 소식을 듣지 못했는가. 당신들의 일가친척은 모두 대한 땅에 있고 당신들의 조상의 분묘도 모국산하에 있지 않단 말인가. 뿌리가 마르면 가지 잎새도 마르는 것이니 조상의 같은 피의 족속이 이미 굴욕을 당했으니 내 몸은 장차 어떻게 하리오. 우리 동포들아! 각각 '불화' 두 자를 깨뜨리고 '결합' 두 자를 굳게 지켜 자녀들을 교육하며 청년 자제들은 죽기를 결심하고 속히 우리 국권을 회복한 뒤에 태극기를 높이 들고 처자권속과 독립관에 서로 모여 일심단체로 육대주가 진동하도록 대한독립만세를 부를 것을 기약하자." *

안중근이 하얼빈 의거 후 당당하게 밝힌 자신의 신분은 바로 동의회 산하 대한의군 독립특파대장이었다. 헤이그 특사인 이상설李相卨과 이준도 이 땅 연해주를 거쳐 네덜란드 헤이그로 갔다. 만국평화회의 연설에 실패한 후 고국으로 돌아갈 수 없던 이상설은 미국에 머물다 연해주로 돌아와 구국 활동을 하다 이 땅에서 숨졌다.

---

* 안중근 의사가 1908년 3월 8일 블라디보스토크 〈해조신문(海朝新聞)〉에 기고한 글이다. '인심결합론' 즉, 인심을 결합하여 국권을 회복하자는 제목으로 쓴 한문으로, 노산 이은상 선생이 번역한 것을 그대로 옮긴다.

大韓隆熙二年三月二十一日 俄曆一千九百八年三月八日 土曜 海朝新聞 第二十一號 (一)

히죠신문

Хэчё-синмунъ.

◎긔셔(寄書)

안응칠

〈해조신문〉에 실린 안중근의 인심결합론

"우리 동포들아! 각각 '불화' 두 자를 깨뜨리고 '결합' 두 자를 굳게 지켜 자녀들을 교육하며 청년자제들은 죽기를 결심하고 속히 우리 국권을 회복한 뒤에 태극기를 높이 들고 처자권속과 독립관에 서로 모여 일심단체로 육대주가 진동하도록 대한독립만세를 부를 것을 기약하자."

네덜란드 헤이그에 안장된 이준 열사 묘

안동원(오른쪽)이 동료와 함께 헤이그에 안장된 이준 열사 묘를 참배하고 찍은 사진이다. 연대는 알 수 없다.

안중근, 이토 히로부미를 처단하다

1909년 봄, 안중근은 동지 11명과 함께 최재형의 집에서 왼손 무명지 한 마디를 자른다. 태극기에 그 피로 '大韓獨立(대한독립)' 네 글자를 쓰고 단지동맹을 결성했다. 이 동맹의 정확한 이름은 동의단지회同義斷指會이다.

"첫째는 국가를 위하여 몸을 바치는 빙거요, 둘째는 일심단체하는 표라."

그동안 동의단지회 회원들이 단지동맹을 맺은 장소는 연추 하리로만 알려져 왔는데, 2019년 1월 김월배 교수가 일본외교사료관에서 최재형의 집에서 단지동맹을 했다는 문서를 찾아냈다. 김 교수는 안중근 기념관 연구위원으로 '안중근 유해 찾기'에 혼신을 다하고 있는, 중국 하얼빈 이공대학교 룽청학원 교수다.

1909년 4월 미국에 있던 이상설이 블라디보스토크로 올 때 스티븐스

안중근 단지혈서 엽서 태극기에 쓴 大韓獨立 네 글자는 안중근 의사가 쓴 글씨다.

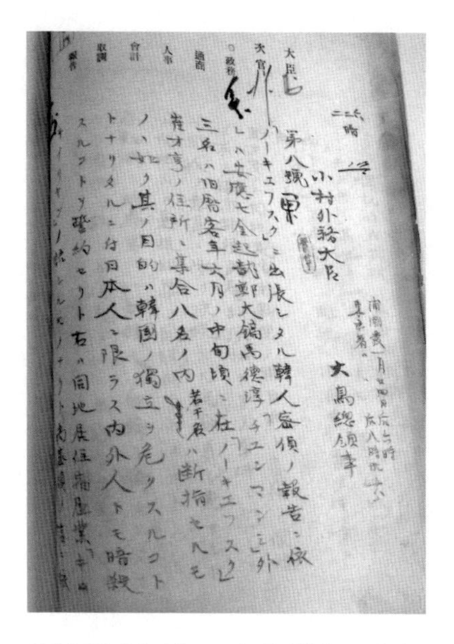

동의단지회 관련 문서 2019년 1월 김월배 교수가 일본 외교사료관에서 찾은 문서다. 단지동맹을 맺은 장소는 최재형의 집으로 밝혀졌다.

암살사건에 관여했던 전명운田明雲과 정재관鄭在寬이 함께 와서 대동공보사大東共報社의 이강과 함께 편집장을 지내다가 이토 히로부미가 하얼빈에 온다는 소식을 접한 후 대동공보사에서 안중근과 함께 이토 히로부미 처단을 모의한다. 안중근 의거가 성공하자 전명운은 곧바로 미국으로 돌아가고 정재관은 1911년 이상설, 김학만金學萬, 이종호李鍾浩, 최재형 등과 함께 권업회勸業會를 조직하는 데 기여했다. 이후 1919년 3·1운동 직전 대한독립선언서大韓獨立宣言書(戊午獨立宣言書)를 발표할 때 39명이 서명했는데, 정재관도 함께 했다. 신민회 회원인 이강은 최재형이 사장으로 있던 대동공보사 편집장으로 활동하고 있었다.

얼마 후부터 대동공보사에서 하얼빈 의거를 논의했고, 안중근은 최재형이 마련해준 총으로 은밀하게 사격연습을 한다.

1909년 10월 26일, 안중근은 피로써 맹세한 목표대로 하얼빈역에서 이토 히로부미를 주살했다. 이토 히로부미는 일본 명치헌법을 만들고 청일전쟁 당시 총리와 조선통감부 통감을 역임한 일본 제국주의의 상징적 인물이다.

그로부터 10년 후인 1919년 3월 17일, 노령에서 최초의 임시정부인 '대한국민의회大韓國民議會'가 설립된 것은 결코 우연이 아니었다.

"손가락을 잘라 피로서 맹서하노니
이토 히로부미와 이완용을 처단하자."

- 크라스키노의 단지동맹기념비

크라스키노 장군 동상이 있는 기념비에 올라 탁 트인 사방을 둘러본다. 전망대 오른쪽으로는 연추마을이 펼쳐져 있고 멀리 보이는 산 너머로 두만강이 동해로 흐른다. 훈춘으로 이어진 길은 애국지사들이 연해주와 간도를 넘나들던 길이다. 동쪽으로 가면 최재형이 가출해 도착했던 포시에트 항구가 나온다.

영웅은 다시 태어나기 위해 일단 버려져야 한다. 지금은 석탄 하역장으로 변한 포시에트 항구. 이곳에서 열한 살 소년 최재형은 구원의 손길을 만나 새로 태어난다. 남과 북이 자유롭게 오가고 러시아와 교역이 왕성하게 이루어진다면, 포시에트 항구 어디쯤에 한·러 우호의 상징으로 소년 최재형과 그를 환골탈태시킨 선장 동상을 세움 직하지 않을까.

단지동맹비, 왼손 무명지를 잘라 맹세하다

전망대에서 내려와 단지동맹비를 찾아갔다. 황량한 벌판에 우뚝 솟은 검은 비석에는 안중근 의사의 무명지가 잘린 왼손 모양이 새겨져 있다. 주위에 있는 정사각형 돌 15개는 하얼빈 의거의 15가지 이유(이토의 죄악상 15

개조)를 상징한다.

1. 한국의 명성황후를 시해한 죄
2. 고종황제를 폐위시킨 죄
3. 5조약과 7조약을 강제로 맺은 죄
4. 무고한 한국인들을 학살한 죄
5. 정권을 강제로 빼앗은 죄
6. 철도, 광산, 산림, 천택(강과 호수)을 강제로 빼앗은 죄
7. 제일은행권 지폐를 강제로 사용한 죄
8. 군대를 해산시킨 죄
9. 교육을 방해한 죄
10. 한국인들의 외국유학을 금지시킨 죄
11. 교과서를 압수하여 불태워버린 죄
12. 한국인이 일본인의 보호를 받고자 한다고 세계에 거짓말을 퍼뜨린 죄
13. 현재 한국과 일본 사이에 경쟁이 쉬지 않고 살육이 끊이지 않는데 태평무사한 것처럼 위로 천황을 속인 죄
14. 동양평화를 깨뜨린 죄
15. 일본천황의 아버지 태황제를 죽인 죄

이토 히로부미를 주살한 안중근은 러시아에 체포된 직후 그날 밤 일본 총영사관에서 취조를 받았다. 일본은 안중근을 뤼순으로 데려갔고 안중근은 1909년 11월 3일, 뤼순에 있는 일본 관할 관동도독부 감옥서로 옮겨 약 5개월 동안 수감되었다. 안중근은 11월 6일 뤼순 감옥에서 〈안응칠 소회〉

를 통해 이토 히로부미가 저지른 죄목 15가지를 조목조목 따지며 대한의 자주권과 재산권의 막중한 국권을 짓밟은 것을 질타했다.

일본은 외무부 정무국장을 뤼순으로 파견하여 심문과 재판을 진두지휘했지만, 당시 뤼순 지역 관동도독부 법원과 감옥서 직원의 국사범 대우와 무기징역이 예견되자 고등법원장을 도쿄로 소환해 사형을 지시했다. 일본의 심문과 재판은 초고속으로 진행되었고, 1910년 2월 14일 안중근에게 사형을 선고했다.

안중근은 관동도독부 감옥서에 갇혀 지내면서 자서전 『안응칠 역사』를 쓰고 동양의 나아갈 길을 밝힌 『동양평화론』을 저술하기 시작했으나, 고등법원장이 사형연기 약속을 지키지 않아 결국 『동양평화론』은 완성하지 못했다. 안중근은 감옥에 있는 동안 200여 점의 유묵을 썼다고 전해진다.

3·1운동 및 대한민국임시정부大韓民國臨時政府 수립 100주년 정신의 출발은 안중근 의사가 주장한 『동양평화론』을 기초로 했다고 볼 수 있다. 『동양평화론』은 '3·1독립선언서'에서 천명한 인류 평등과 평화 등 민주주의의 기틀이 되었고, 3·1운동과 대한민국임시정부 수립으로 구체화했기 때문이다. 안중근은 1910년 3월 26일 뤼순감옥에서 순국했다.

안중근의 마지막 유언과 유해 찾기

"내가 죽거든 하얼빈 공원 곁에 묻어두었다가 조국이 해방되는 날 나를 고국으로 반장해다오."

안중근 1909년 10월 26일, 대한의군 특파대장 안중근은 하얼빈 역에서 15가지 죄목으로 이토 히로부미를 주살했다.

안중근은 이처럼 절절한 유언을 남겼지만, 일본은 법을 어기면서까지 그의 유해를 비밀리에 매장했다. 당시 일본 법은 형을 집행한 후에는 가족에게 유해를 돌려주게 되어 있었다. 하지만 일본은 그의 무덤이 항일독립 항쟁의 성지가 될 것을 두려워했다.

안중근의 시신을 어떻게 했는지 일본은 지금까지 감추고 있다. 조선통감부와 일본 외무성 사료, 신문 등에서 관동도독부 감옥서에 안중근을 매장했다는 기록들이 발견되고 있다. 안중근의 유언을 실현하는 것이 참다운 광복이요, 주권국가 후손의 당연한 의무인데 아직도 유해 찾기는 요원하기만 하다.

안중근은 대한 독립운동의 상징이다. 서른한 살의 짧은 생을 바쳐 조국 독립을 회복하고 인류의 보편적 가치인 동양평화를 이룩하고자 살신성인한 한국의 살아 있는 자존심이다. 그뿐인가. 안중근 의사는 세계적인 사상가이자 평화주의자이다.

안중근의 왼손이 음각된 곳에 자신의 손을 얹고 사진 찍는 탐방객을 만났다.

"느낌이 어떠세요?"

"안중근 의사는 만고의 영웅이죠. 독립운동가들의 나라 사랑 정신을 지금은 백 분의 일은커녕 천 분의 일도 상상할 수 없어요. 덕분에 우리가 이처럼 잘살고 있으니 항상 감사해야 하는데…."

말끝을 흐리는 이유를 알 것 같다. 역사의 현장을 탐방하면서 비로소 나라를 위해 순국하신 독립운동가들의 희생정신을 느끼게 되니 말이다.

크라스키노의 단지동맹기념비 앞에서 국기를 든 저자
"손가락을 잘라 피로서 맹서하노니,
이토 히로부미와 이완용을 처단하자."

의병들은 모두 모여라, 13도의군

안중근의 하얼빈 의거 이후 국내외 한인 민족운동가들은 연해주로 모였다. 북간도의 이동휘와 김약연金躍淵, 정재면鄭載冕, 나철羅喆, 서일徐一, 박찬익朴贊翊, 서간도의 박은식과 윤세복尹世復, 연해주의 최재형과 유인석, 이범윤, 홍범도, 이상설, 이남기李南基 등을 중심으로 의병을 하나로 모으기 위해 노력했다. 이들은 연해주는 물론 국내에 있는 의병까지 통합하기 위해 1910년 6월 21일 '13도의군十三道義軍'을 조직했다. 도총재로 유인석이 추대되었다. 안중근이 뤼순에서 순국한 지 세 달 후였다.

유인석은 1895년에 의병을 일으킨 후 10여 년 동안 국내 외에서 항일투쟁을 해왔다. 일본과의 오랜 싸움으로 국내에서 의병 세력이 약해지자 반드시 돌아와 본토를 수복하겠다는 의지로 남은 동지들과 함께 연해주로 와 13도의군에 통합되었다.

13도의군은 러시아령과 간도에서 활동했던 의병들을 규합했고, 애국계몽운동 계열의 구국운동가들과 신지식 계열의 독립운동가들과도 공동 전선을 기획하였다. 국내에서 신민회를 주도하며 항일운동을 벌이던 안창호, 이갑 등도 동의원으로 참가했고, 헤이그 특사 사건 이후 구미에서 활동하다 연해주로 돌아온 이상설은 외교대원이 되었다.

저들의 죄를 성토하고 우리의 원통함을 밝힌다

1910년 8월 23일에는 성명회聲明會가 조직되었다. 블라디보스토크의 신한촌 한민학교新韓村 韓民學校에서 한인대회를 열어 '저들의 죄를 성토하고 우리의 원통함을 밝힌다聲彼之罪明我之寃'는 뜻의 성명회를 조직한 것이다.

미국 워싱턴의 국립문서보관소National Archives에는 〈성명회 선언서〉 한 질이 보관되어 있다고 한다. 이 선언서는 1919년 민족 대표 33인이 서명한 '독립선언서'가 나오기 이전인 1910년에 발표된 것이다. 블라디보스토크를 중심으로 한 연해주 일대의 한인들이 한민족의 모든 역량과 수단을 다해 독립운동을 전개해 나갈 때 국권을 회복할 수 있음을 내외에 널리 알리는 선언이었다.

성명회 선언서는 총 118장이다. 유인석 성명회 도총재의 친필 서명과 무려 8,624명의 서명이 들어 있다. 당시 연해주와 간도에 사는 한인 수가 10만 명 내외였으니, 5인을 1가구로 하면 약 2만 가구가 서명한 셈이었다.

이 일을 알게 된 일제는 러시아에 강력하게 항의하며, 한인들의 항일활동을 금지시키라고 요구했고, 성명회 핵심 인물들을 체포해 일본에 넘겨달라고 했다. 이때 최재형만큼은 일본 뜻대로 처리하지 못했는데, 그가 러

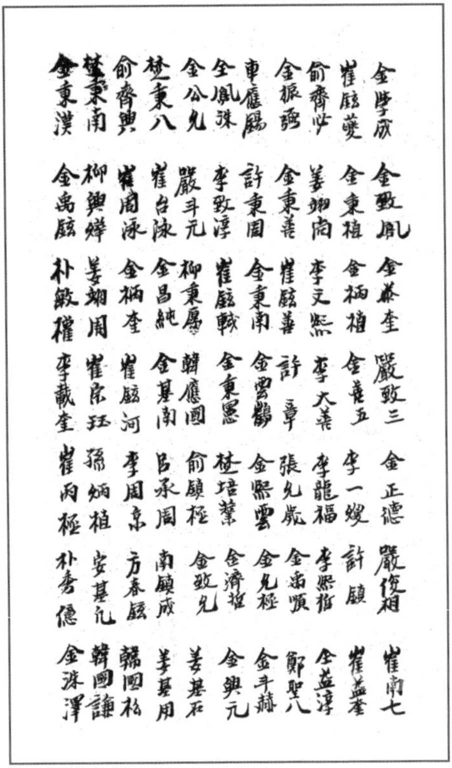

성명회 선언서 서명

성명회 선언서는 총 118장이며, 도총재 유인석의 친필 서명과 함께 8,624명의 서명이 들어 있다.

시아 국적을 갖고 있었기 때문이었다.

13도의군은 대대적인 항일 무력투쟁을 개시하기도 전에 일본에 의해 강제로 해체된다. 러시아는 이상설과 이범윤, 김좌두金左斗, 이규풍李奎豐 등 성명회와 13도의군 간부 20여 명을 체포하여 투옥하고, 러시아 내에서 한인들의 모든 정치활동을 금지했다. 유인석은 그후 서간도 평텐성으로 망명해 지내다 생을 마감했다.

"재가 되어 동해로 흘러 내 조국에 스며들리라"

이상설 유허비李相卨 遺墟碑는 쑤이펀허 강 언덕에 서 있다. 인가도 없이 쓸쓸하기 그지없는 허허벌판에 홀로 서 있는 유허비. 이상설의 유언 "나라를 빼앗긴 상황에 무슨 낯으로 조국에 가겠느냐. 유품과 시신을 화장해서 동해로 흘러드는 쑤이펀허 강물에 뿌려 달라"고 했던 대로, 유허비 앞에 서면 말없이 흐르는 쑤이펀허 강물이 바라다보인다.

이상설 이준, 이위종과 함께 네덜란드 헤이그 만국평화회의 특사로 파견되었으며, 국권 회복과 독립을 위해 활약했다.

이상설은 1870년 충청북도 진천에서 태어났다. 스물다섯인 1894년, 과거시험에 합격해 벼슬길에 올랐다. 1905년 을사늑약 당시, 그는 대신회의 실무 책임자인 의정부 참찬이었으나 일본의 방해로 회의에 참여하지 못했다. 그는 을사늑약의 부당함에 항거하며 자결하려 했으나 실패했다.

1906년, 이상설은 이동녕과 정순만鄭淳萬, 황달영黃達永, 김우용金禹鏞, 홍창섭洪暢燮, 여준呂準, 박정서朴禎瑞 등과 함께 블라디보스토크를 경유하여 그해 8월 용정촌에 정착한 후 항일민족 교육의 요람이 될 서전서숙瑞甸書塾을 설립한다. 이상설은 이곳에서 숙장으로 신학문과 민족주의를 가르쳤다.

1907년에는 이준, 이위종과 함께 고종의 특명을 받고 만국평화회의 특사로 네덜란드 헤이그에 갔다. 그곳에서 대한제국 외교권을 빼앗은 일본의 침략 행위를 전 세계에 알리기 위함이었다. 하지만 서양 강대국들은 자

이상설 유허비 "나라를 빼앗긴 상황에 무슨 낯으로 조국에 가겠느냐. 유품과 시신을 화장해서 동해로 흘러드는 쑤이펀허 강물에 뿌려 달라."

신의 이익을 위해 일본의 대한제국 무단 침략을 묵인했고, 특사 임무는 실패했다.

미국에서 지내던 이상설은 1909년 연해주로 와 이후 13도의군 편성과 성명회 조직에 참여했으며, 최재형 등과 권업회勸業會를 조직하기도 했다. 또 1913년에는 이동휘, 김립金立, 이종호, 장기영張基永 등과 지린성 왕칭현 나자구에 사관학교를 세워 광복군 사관을 양성했다. 1915년에는 중국 상하이 영국 조계에서 박은식, 신규식申圭植, 조성환, 유동열, 유홍렬劉鴻烈, 이춘일李春日 등의 민족운동자들과 신한혁명단新韓革命團을 조직했으나 1917년에 지병으로 사망했다.

발해 솔빈부 성터에서 발해의 혼! 준마와 마주치다

발해성터를 찾은 날, 나와 일행은 감동의 도가니 속에 빠졌다. 발해성터가 남아 있는 곳은 솔빈부, 쑤이펀허 강이 천연 요새의 해자로 휘돌아가는 언덕이다. 성터에 발을 딛는 순간, 갈기를 휘날리며 달려오는 한 떼의 말들을 만났다. 발해 솔빈부 성은 말을 키우던 곳이다. 명마들의 질주는 웅혼했던 고구려의 기상일까, 발해의 바람일까.

대한민국 최초의 임시정부를 세웠던 땅, 망명정부가 대한 독립을 꿈꾸었던 땅이 북방 경제의 바람으로 다시 되살아나길 바라면서 말들의 질주를 지켜본다. 가슴에서 뜨거운 바람이 인다. 즉흥시가 절로 나왔다.

발해성터에서

잃어버린 땅에서
웅혼했던 역사의 흔적을 더듬는 찰나
갈기를 세우고 달려오는 무리

장구한 세월
대평원을 호령하던 고구려의 넋인가!
천 년 전 명마의 고장 솔빈부의 바람인가!
백여 년 전 항일의병들의 숨결인가!

남으로 남으로 밀려나
역사의 애환에 짖어 이 땅을 찾은 우리에게
명마들이 전하는 선인들의 간절한 메시지를 듣는다

역사를 잊은 민족에겐 미래가 없다
역사의 수레바퀴는 돌고 돈다
이 땅을 잊지 마라

시원의 바람인 듯
홍익인간의 영혼인 듯
이 땅에서 순국한 선열들 넋인 듯
우리 곁을 스쳐 간 솔빈부의 명마들

순간순간
내 가슴에 발해의 바람이 되어
뜨겁게 뜨겁게 갈기를 세운다

우리를 안내하던 최재형기념사업회 조미향 지부장이 말들의 질주가 끝나자 특유의 해학으로 말춤을 추란다. 발해의 너른 들판을 바라보며 모두가 한바탕 웃으며 가수 싸이의 노래 〈강남스타일〉에 맞춰 한민족 특유의 끼를 발산한다. 잃어버린 옛 땅 발해를 회복할 수 있다면, 그런 날이 와서 말춤을 신나게 출 날이 온다면 얼마나 좋을까.

권업회, 연해주 한인을 하나로 묶다

러시아 노령 임시정부의 모태는 1905년부터 싹이 텄다. 을사늑약과 러일 전쟁의 승리로 일본의 야욕이 커진 것을 연해주 한인들이 간파한 것이다. 연해주를 거쳐 헤이그 특사로 간 이상설과 이준의 애국 연설도 한인들의 독립정신을 고무시켰다.

미주에서도 1905년에 안창호, 정재관, 송석준宋錫俊이 중심이 되어 공립협회共立協會가 조직되었다. 이는 1909년에 국민회國民會로 발전했고, 1910년에는 다시 대한인국민회大韓人國民會로 확대되었다. 정재관, 안창호, 이강 등의 노력으로 치타를 중심으로 연해주 각지에도 지회가 설립되었다. 대한인국민회는 1911년까지 연해주 전 지역에 16개의 지회와 1,150인의 회원을 확보했다.

대한인국민회는 미국에서 보내온 〈신한민보新韓民報〉와 연해주 현지에서 발간한 〈야소정교보耶蘇正教報〉로 민족, 독립사상을 불어넣었다. 야학으로 계몽 활동을 벌이고 음주, 도박을 금지하는 생활 개선 운동도 활발하게 펼쳐나갔다. 최재형도 아편 중독의 폐해를 한인들에게 알리며 계몽에 앞장섰다.

연해주에서 독립운동을 하던 민족지도자들은 1911년 5월, 블라디보스토크 신한촌에 있는 한민학교에서 일제와 러시아 당국의 탄압을 피해 권업회를 조직했다. 이후 권업회는 연해주는 물론 간도 지역의 인물들까지 참여시켜 급속히 세를 확대했다.

권업회라는 이름은 '실업을 장려한다'는 뜻으로, 연해주 한인들의 생활과 교육을 개선하는 단체로 내세웠다. 대한제국과 관련 있는 이름은 일본의 간섭으로 견딜 수 없었기 때문이다. 〈해조신문海朝新聞〉이나 〈대동공보大東共報〉도 일본의 압력으로 강제로 폐간되었다.

하지만 권업회의 진정한 목적은 항일운동을 강력하게 추진하는 데 있었다. 권업회 창립 당시 초대 회장에 최재형, 부회장에 홍범도를 선임했고, 12월 총회에서는 조직을 의사부와 집행부로 나누어 의사부 의장에 이상설, 부의장에 이종호를 선임하고 집행부는 13 부서로 나누어 업무를 담당했다.

러시아는 권업회가 정치조직이 아닌 한인사회 자치조직임을 정식으로 인정하고 지원했다. 권업회는 교육과 문화 사업을 위해 민회에서 운영하던 한민학교를 인수했고, 야간학교와 도서관도 열었다. 〈권업신문勸業新聞〉을 매주 간행해 민족의식을 강조했는데, 발행 부수가 1,200~1,800부였다. 매주 일요일에는 한민학교 등에서 모임을 열었고, 지부가 설치된 여러 지역에서도 정기·부정기 모임이 열렸다.

권업회는 이러한 모임들을 통해 교육, 산업 진흥, 국권 회복, 단결, 의병

一千九百十二年八月十六日 권업신문 金曜日 第十八號 (一)

勸業新聞

론論셜說

이날 是日

단군긔국 사쳔이빅사십오년팔월이십구일 이날은 엇더한날이뇨 사쳔년 력사가 끈어진날이오 삼쳔리 강토가 업서진날이오 이쳔만동포가 노예된날이오 오빅년 종샤가 멸망한날이오 셰계만국에셔로 絶交 된날이오 텬디일월이 무광한 날이오 산천초목이 슯허하는 날이오 [illegible] 날이오 [illegible] 날이오 [illegible] 날이오 우리의 [illegible] 날이오 [illegible] 날이오 우리의 [illegible] 날이오 우리는 입이 잇어도 말못할 날이오 귀가 잇서도 듯지못할 날이오 눈이 잇서도 보지못할 날이오 발이 잇서도 가지못할 날이오 [illegible] 눈은 감지못할 날이오 우리가 이 셰상 [illegible]

[illegible]

권업신문 권업회에서 매주 발행한 신문이며, 1,200~1,800부를 간행했다. 연해주 한인들의 민족의식을 강하게 결집시켰다.

등에 관한 강연으로 연해주 한인들의 항일 민족정신과 애국심을 강하게 고취했다. 권업회는 연해주 전역에 13 지부를 설치했고, 1914년에는 회원이 8,579명까지 늘어났다.

1차 세계대전 발발로 무산된 꿈

1914년 권업회는 한인 노령 이주 50주년 기념식을 대대적으로 준비했다. 준비위원회 명예회장은 러시아인 포드스타빈В.Г. Подставин 박사, 회장은 최재형, 서기는 김기룡金起龍, 재무는 한세인이었다. 최재형은 재정을 책임지고 미주 신민회까지 초청하여 대한제국의 건재를 만천하에 공표하려 했다.

최재형은 한인 이주 50주년 기념식을 계기로 러시아와 더 우호적인 관계를 맺고자 포시에트와 블라디보스토크에 러시아 황제 알렉산더 2세와 3세, 니콜라이 2세 동상도 세우려 했다.

하지만 1차 세계대전이 발발했다. 러시아는 전시 체제로 돌입했고 일제와의 관계 악화를 우려하면서 모든 기념행사를 금지했다. 결국 1914년 8월, 권업회는 러시아에 의해 강제 해산되었다.

권업회의 항일독립투쟁 의지는 1917년 전로한족회중앙총회 창설과 1919년 대한국민의회 설립의 토대가 되었으며, 대한국민의회는 1919년 9월 11일에 중국 상하이 대한민국임시정부와 통합했다.

새로운 시대를 열자!
전로한족회중앙총회

1917년 10월, 러시아 혁명이 일어났다. 제정러시아를 반대하는 사회주의 혁명 이른바 볼셰비키 혁명이었다. 이 혁명을 계기로 최재형, 문창범文昌範, 김학만 등 연해주 한인 지도자들은 우수리스크에서 전로한족회중앙총회全露韓族會中央總會를 조직했다. 회장 문창범, 부회장 윤해尹海, 채蔡안드레이(채병욱), 상설위원 김金주프로프, 김金야코프, 원세훈元世勳, 한여결韓汝潔이 선출되었고, 고문으로 최재형과 이동휘가 추대되었다.

1차 세계대전이 끝나자 국제 정세가 새롭게 개편되기 시작했다. 1918년 러시아는 혁명파와 반혁명파로 나뉘어 적·백군 간의 내란이 본격화했다. 연해주 민족지도자들은 독립투쟁을 이끌 대한국민의회大韓國民議會를 조직하기로 하고 전로한족회중앙총회를 열었다.

회의 첫날인 1919년 2월 25일, 전로한족회중앙총회 상설의회장인 원세훈이 국민 의사를 대표하는 기관으로 '대한국민의회' 설립 취지를 발표했다. 전로한족회중앙총회를 확대 · 개편하여 대한국민의회를 조직하기로

러시아 우수리스크에 있는 전로한족회중앙총회 건물 전로한족회중앙총회는 러시아혁명 이후 러시아 한인을 대표하는 기관이었다. 현재 우수리스크 11호 학교이다.

전로한족회중앙총회 건물 표지판

한 것이다.

전로한족회중앙총회가 주로 연해주나 흑룡주에 설치된 지방한족회를 기반으로 한 연해주 한인 중앙기관이었다면, 대한국민의회에는 북간도와 훈춘, 서간도의 대표들과 국내에서 김하석金夏錫 등 대표 여러 명이 참여하여 확대된 조직이었다.

우수리스크 전로한족회중앙총회가 열렸던 건물 앞에서 최재형기념사업회 조미향 연해주 지부장이 말했다.

"전로한족회중앙총회가 열렸던 이 건물은 현재 우수리스크 11호 학교로 사용되고 있어요. 최재형 선생이 살던 최재형기념관과 아주 가깝죠. 이 지역에서 우리 한인들은 독립운동의 혼을 불태웠다고 할 수 있습니다."

당시 한인들의 위상을 보여주는 듯 러시아풍 건물이 당당해 보인다.

우수리스크 육성촌을 비롯해 니코리스크 일대에는 중앙아시아에서 재이주한 카레이스키들이 살고 있다. 그러나 강제이주 전의 삶의 흔적들은 남아 있지 않다. 다만 조명희趙明熙가 학생들을 가르쳤던 푸칠로프카(육성촌) 농업화훼학교 건물만 폐허가 된 채 방치되어 있다.

독립만세운동의 불씨가 붙다

일본은 오랫동안 무인이 지배하던 나라였다. 1910년 한국을 병합한 후 한국 통치 방침도 총독 무단 정치였다. 종교까지도 총독 허가 없이는 포교를 금지할 정도였다. 교당 건축이나 종교 서적 출간도 모두 검열했다. 명망 있는 종교인을 터무니없는 죄목을 씌워 체포한 다음, 갖은 고문과 악형을 가했다. 한국 종교를 완전히 말살시키려는 의도였다.

교육 차별과 탄압도 무척 심했다. 총독부는 병합 이전의 사범중학과 보통학교를 모두 없애고, 대신 일본말과 일본 글만 가르치는 공립 심상소학교를 설립했다. 한국 역사와 지리를 교육 과목에서 완전히 없앴다. 학생들의 입과 귀를 철저히 닫고, 외국 유학도 금지했다. 자유와 인권, 학습권 모두를 함부로 짓밟은 것이다. 유생들의 국권 회복을 위한 상소나 운동도 철저히 막았다.

또한 일본인들의 한국 이민을 장려하여 토지와 가옥을 강제로 빼앗고, 아편재배를 허용하고 매춘을 장려해 우리 민족의 몸과 마음을 해치려 했다. 한국 민족 멸종 계획을 세운 것이다.

그러나 우리 민족은 일본의 이러한 간계에 의한 멸종의 길을 거부했다. 죽음을 무릅쓰며 항거하고 일어설 날을 기다렸다.

3·1운동이 들불처럼 타오르다

고종高宗(광무황제)은 명성황후明成皇后가 시해된 뒤 일본인에 대한 원한에 사무쳐 있었다. 자신도 폐위당하고 나라가 강제로 일본과 병합되자 울분과 원통함이 하늘에 닿게 되었다. 황제는 유폐되어 있으면서도 단 하루도 복수의 기회를 엿보지 않은 날이 없었다. 일본인들은 황제를 배일운동의 수괴로 간주하고 감시를 더욱 철저히 했다.

1차 세계대전 후 파리강화회의가 열리면서 민족자결주의에 약소국들의 관심이 집중되었다. 헤이그 특사 사건 이후 황제에 대한 의심을 거두지 않았던 일본인들은, 황제가 또다시 일을 꾸미지 않을까 염려하여 시해하기로 작정하기에 이르렀다.

윤치호는 자신의 일기에 한상학에게 들은 이야기를 적어놓았다.*

---

*『윤치호 일기』, 역사비평사, 196쪽

고종 조선 제26대 왕이며 대한제국의 황제이다. 1897년 국호와 연호를 각각 대한(大韓)과 광무(光武)로 고쳤다. 1907년 헤이그 만국평화회의에 특사를 보내 국권을 회복하려 했으나 이 사건으로 강제 퇴위당했다.

첫째, 이상적일 만큼 건강하던 고종 황제가 식혜를 마신 지 30분도 안 되어 심한 경련을 일으키다가 죽어갔다. 둘째, 고종 황제의 팔다리가 1~2일 만에 엄청나게 부어올라서, 사람들이 황제의 통 넓은 한복 바지를 벗기기 위해 찢어야만 했다. 셋째, 민영달과 몇몇 인사는 약용 솜으로 고종 황제의 입속을 닦아내다가, 치아가 모두 빠져 구강에 있고 혀는 닳아 없어졌음을 발견했다. 넷째, 30cm가량 되는 검은 줄이 목 부분부터 복부까지 길게 나 있었다. 다섯째, 고종황제가 승하한 직후에 2명의 궁녀가 의문사했다.

이외에도 황제 시해사건에 일본이 연루되었음을 보여주는 증거는 수없이 많다.

황제의 갑작스러운 사망 소식이 알려지자 민심이 크게 동요하기 시작했다. 일본 군경의 엄밀한 감시와 탄압 때문에 백성들은 드러내놓고 황제의 죽음을 입에 올리지 못했지만 분노했다. 황제의 원수를 갚아야 한다는 움직임이 삽시간에 국내외로 퍼져나갔다. 한성 각 거리에는 방이 몰래 나붙었다.

"아느냐! 모르느냐! 만국평화회의가 열리자 두려움을 느낀 왜놈들이 우리 황제를 독살한 것이다!"

나라 안 백성은 남녀노소할 것 없이 모두 슬픔을 감추지 못하고 상복을 입은 채 7일 밤낮을 통곡했다. 황제가 일본인에 의해 시해된 것에 울분을 참지 못한 백성들은 불구대천의 원수인 일본인들과 끝까지 싸울 것을 맹세했다. 광무황제는 자신의 몸을 희생하여 독립운동의 깃발을 들어 올리게 한 것이었다.

2월 8일 일본 유학생들이 독립만세를 외치다

1919년 2월 8일 재일유학생 600여 명이 도쿄 히비야공원 근처의 도쿄 YMCA(현재 한국YMCA) 회관에 모여들었다. 연단에 오른 최팔용崔八鏞이 분개한 어조로 연설을 마친 뒤, 눈물을 글썽이며 선언서와 결의문을 낭독했다. 학생들이 독립을 요구하는 혈서를 일본 의회에 제출할 것이라는 소식에 긴장한 일본 경찰 80여 명이 갑자기 회의장에 난입하여 서명한 학생들을 체포했다.

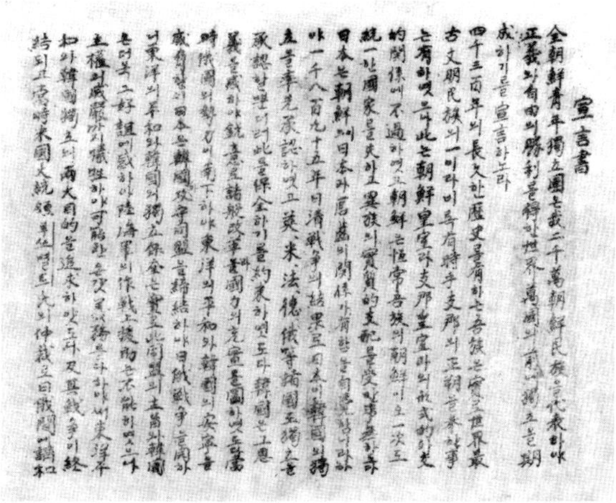

宣言書

全朝鮮青年獨立團은 我二千萬朝鮮民族을 代表하야 正義와 自由의 勝利를 得한 世界萬國의 前에 獨立을 期成하기를 宣言하노라

四千三百年의 長久한 歷史를 有하는 吾族은 實로 世界最古文明民族의 一이라 비록 有時乎 支那의 正朔을 奉한 事는 有하엿스나 此는 朝鮮皇室과 支那皇室과의 形式的 外交的 關係에 不過하엿고 朝鮮은 恒常 吾族의 朝鮮이오 一次도 統一한 國家를 失하고 異族의 實質的 支配를 受한 事 無하도다 日本은 朝鮮이 日本과 唇齒의 關係가 有함을 自覺함이라 하야 一千八百九十五年 日淸戰爭의 結果로 日本이 韓國의 獨立을 率先承認하엿고 英, 米, 法, 德, 俄等 諸國도 獨立을 承認할 뿐더러 此를 保全하기를 約束하엿도다 韓國은 그 恩義를 感하야 銳意로 諸般改革과 國力의 充實을 圖하엿도다 當時 俄國의 勢力이 南下하야 東洋의 平和와 韓國의 安寧을 威脅할새 日本은 韓國과 攻守同盟을 締結하야 日俄戰爭을 開하니 東洋의 平和와 韓國의 獨立保全은 實로 此同盟의 主旨라 韓國은 더욱 그 好誼에 感하야 陸海軍의 作戰上 援助는 不能하엿스나 主權의 威嚴까지 犧牲하야 可能한 온갖 義務를 다하야써 東洋平和와 韓國獨立의 兩大目的을 追求하얏도다 及其戰爭이 終結되고 當時 米國大統領 루쓰벨트氏의 仲裁로 日俄間에 講和

2·8독립선언서 첫 장 1919년 2월 8일 재일유학생 600여 명이 도쿄 히비야공원 근처의 도쿄YMCA회관에서 낭독한 선언서이다.

학생들이 체포되길 거부하자, 경찰은 닥치는 대로 칼을 휘둘러 60여 명이 부상당했다. 체포된 학생들은 경찰서로 압송되었다. 일본 경찰은 학생 기숙사를 수색하는 한편, 학생마다 형사 한 명씩을 붙여 감시했다.

분노한 학생들은 12일 오전 다시 도쿄YMCA 회관에 모여 체포된 학생들의 석방과 독립운동 방안을 토의했다. 이때도 일본 경찰 30여 명이 회의장에 난입하여 유학생 25명을 체포했다.

3월 8일 열린 재판에서 유학생 60여 명이 출판법위반죄로 유죄가 확정되었다. 이 가운데 최팔용과 서춘徐椿에게 1년의 금고형이 언도되었고, 다른 학생들에게는 9개월의 금고형이 내려졌다. 그러나 학생들은 독립운동을 계속하기 위해 이광수李光洙를 상하이로 파견하기로 결정했다.

대한독립만세!

1919년 3월 1일, 대한 백성이 정의와 인도주의의 기치를 높이 들고 맨손으로 만세운동을 펼쳤다. 일대 대혁명운동이 벌어진 것이다. 이날은 대한독립과 군국주의 타도를 외치며 세계만방에 우리 민족정신을 드높인 너무나도 뜻깊은 날이었다.

이날의 독립만세운동에는 청년학생들이 앞장섰다. 일본인들이 운영하는 학교에 다니는 학생들도 대거 참가했다. 각 종교단체는 물론이고 사회 각계각층 인사들이 총동원된 시위운동에는 신분이나 남녀노소의 구분이 없었다.

마침 광무황제의 인산일에 참가하기 위해 지방에서까지 모여든 인파

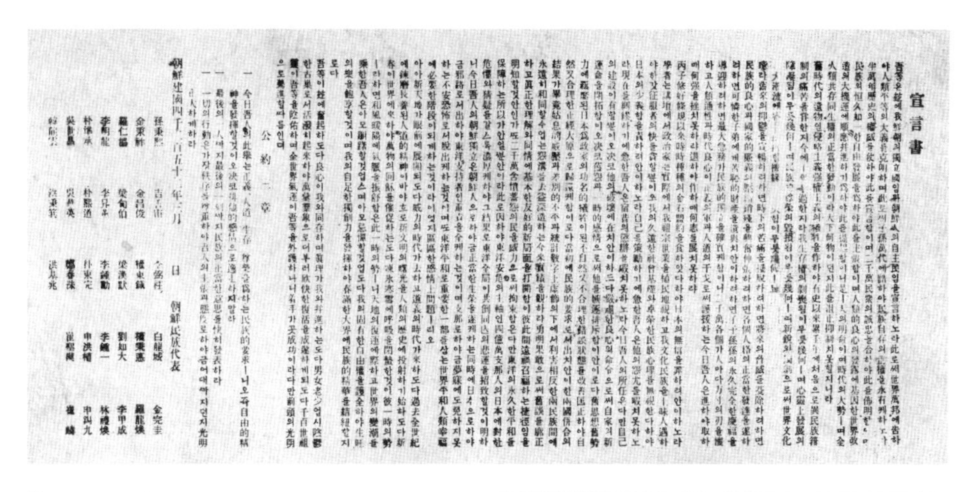

宣言書

吾等은玆에我朝鮮의獨立國임과朝鮮人의自主民임을宣言하노라此로써世界萬邦에告하야人類平等의大義를克明하며此로써子孫萬代에誥하야民族自存의正權을永有케하노라

半萬年歷史의權威를仗하야此를宣言함이며二千萬民衆의誠忠을合하야此를佈明함이며民族의恒久如一한自由發展을爲하야此를主張함이며人類的良心의發露에基因한世界改造의大機運에順應幷進하기爲하야此를提起함이니是ㅣ天의明命이며時代의大勢ㅣ며全人類共存同生權의正當한發動이라天下何物이던지此를沮止抑制치못할지니라

舊時代의遺物인侵略主義强權主義의犧牲을作하야有史以來累千年에처음으로異民族箝制의痛苦를嘗한지今에十年을過한지라我生存權의剝喪됨이무릇幾何ㅣ며心靈上發展의障礙됨이무릇幾何ㅣ며民族的尊榮의毁損됨이무릇幾何ㅣ며新銳와獨創으로써世界文化의大潮流에寄與補裨할機緣을遺失함이무릇幾何ㅣ뇨

噫라舊來의抑鬱을宣暢하려하면時下의苦痛을擺脫하려하면將來의脅威를芟除하려하면民族的良心과國家的廉義의壓縮銷殘을興奮伸張하려하면各個人格의正當한發達을遂하려하면可憐한子弟에게苦恥的財産을遺與치안이하려하면子子孫孫의永久完全한慶福을導迎하려하면最大急務가民族的獨立을確實케함이니二千萬各個가人마다方寸의刃을懷하고人類通性과時代良心이正義의軍과人道의干戈로써護援하는今日吾人은進하야取하매何强을挫치못하랴退하야作하매何志를展치못하랴

丙子修好條規以來時時種種의金石盟約을食하얏다하야日本의無信을罪하려안이하노라學者는講壇에서政治家는實際에서我祖宗世業을植民地視하고我文化民族을土昧人遇하야한갓征服者의快를貪할뿐이오我의久遠한社會基礎와卓犖한民族心理를無視한다하야日本의少義함을責하려안이하노라自己를策勵하기에急한吾人은他의怨尤를暇치못하노라現在를綢繆하기에急한吾人은宿昔의懲辨을暇치못하노라今日吾人의所任은다만自己의建設이有할뿐이오決코他의破壞에在치안이하도다嚴肅한良心의命令으로써自家의新運命을開拓함이오決코舊怨과一時的感情으로써他를嫉逐排斥함이안이로다舊思想舊勢力에羈縻된日本爲政家의功名的犧牲이된不自然又不合理한錯誤狀態를改善匡正하야自然又合理한正經大原으로歸還케함이로다當初에民族的要求로서出치안이한兩國倂合의結果가畢竟姑息的威壓과差別的不平과統計數字上虛飾의下에서利害相反한兩民族間에永遠히和同할수업는怨溝를去益深造하는今來實績을觀하라勇明果敢으로써舊誤를廓正하고眞正한理解와同情에基本한友好的新局面을打開함이彼此間遠禍召福하는捷徑임을明知할것안인가또二千萬含憤蓄怨의民을威力으로써拘束함은다만東洋의永久한平和를保障하는所以가안일뿐안이라此로因하야東洋安危의主軸인四億萬支那人의日本에對한危懼와猜疑를갈스록濃厚케하야그結果로東洋全局이共倒同亡의悲運을招致할것이明하니今日吾人의朝鮮獨立은朝鮮人으로하야금正當한生榮을遂케하는同時에日本으로하야금邪路로서出하야東洋支持者인重責을全케하는것이며支那로하야금夢寐에도免하지못하는不安恐怖로서脫出케하는것이며또東洋平和로重要한一部를삼는世界平和人類幸福에必要한階段이되게하는것이라이엇지區區한感情上問題ㅣ리오

아아新天地가眼前에展開되도다威力의時代가去하고道義의時代가來하도다過去全世紀에鍊磨長養된人道的精神이바야흐로新文明의曙光을人類의歷史에投射하기始하도다新春이世界에來하야萬物의回蘇를催促하는도다凍氷寒雪에呼吸을閉蟄한것이彼一時의勢ㅣ라하면和風暖陽에氣脈을振舒함은此一時의勢ㅣ니天地의復運에際하고世界의變潮를乘한吾人은아모躕躇할것업스며아모忌憚할것업도다我의固有한自由權을護全하야生旺의樂을飽享할것이며我의自足한獨創力을發揮하야春滿한大界에民族的精華를結紐할지로다

吾等이玆에奮起하도다良心이我와同存하며眞理가我와幷進하는도다男女老少업시陰鬱한古巢로서活潑히起來하야萬彙羣衆으로더부러欣快한復活을成遂하게되도다千百世祖靈이吾等을陰佑하며全世界氣運이吾等을外護하나니着手가곳成功이라다만前頭의光明으로驀進할따름인뎌

公約三章

一 今日吾人의此擧는正義, 人道, 生存, 尊榮을爲하는民族的要求ㅣ니오즉自由的精神을發揮할것이오決코排他的感情으로逸走하지말라

一 最後의一人까지最後의一刻까지民族의正當한意思를快히發表하라

一 一切의行動은가장秩序를尊重하야吾人의主張과態度로하야금어대까지던지光明正大하게하라

朝鮮建國四千二百五十二年三月 日 朝鮮民族代表

孫秉熙 吉善宙 李弼柱 白龍城 金完圭
金秉祚 金昌俊 權東鎭 權秉悳 羅龍煥
羅仁協 梁甸伯 梁漢默 劉如大 李甲成
李明龍 李昇薰 李鍾勳 李鍾一 林禮煥
朴準承 朴熙道 朴東完 申洪植 申錫九
吳世昌 吳華英 鄭春洙 崔聖模 崔麟
韓龍雲 洪秉箕 洪基兆

3·1독립선언서와 대한문 앞과 종로 보신각 앞에서 만세 시위를 벌이는 군중 모습

대한 독립과 군국주의 타도를 외치며 세계만방에 우리 민족정신을 드높인 뜻깊은 날이었다.

수십만이 경성에 집결했다. 손병희孫秉熙를 비롯한 민족대표들이 종로 태화관에 모여 독립선언서를 낭독한 것을 신호로 태극기를 손에 들고 독립만세를 외치는 함성이 천지를 진동했다. 질서정연하면서도 엄숙하게 진행된 시위운동이었다.

경성에서 시작된 만세시위운동은 개성, 평양, 진남포, 선천, 안주, 의주,

함흥, 원산, 대구, 황주, 곡산, 수안 등 전국 각지로 퍼져나갔다. 각지 시장은 이날부터 파하여 시위운동을 지지했다. 민족 전체가 죽음을 두려워하지 않고 시위에 참여해 민족정신을 세계만방에 과시했다.

연해주에서도 독립만세 시위를 계획하다

대한국민의회가 발족하기 전인 1918년 12월, 전로한족회중앙총회의 문창범과 윤해는 이춘숙李春塾 등 일본 도쿄 유학생들과 연락했고, 김항복金恒福 등에게서 1919년 1월 6일 유학생 웅변대회, 파리강화회의 문제, 2월 8일 독립선언에 관한 통신을 주고받았다.

3·1만세운동이 벌어지기 전인 2월 초순, 도쿄 유학생 대표가 직접 연해주에 와서 문창범을 만나 만세 시위와 독립운동 문제들을 협의했다.

재일유학생들의 2·8독립선언 후인 1919년 2월 20일, 블라디보스토크와 연해주 일대에서도 만세시위운동이 일어났다. 니코리스크에서는 전로한족회중앙총회와 니코리스크한족회韓族會 주최로 고종황제 추도회가 열렸고, 김철훈金哲勳과 김일金一이 추도사를 읊었다.

이어 3월 8일에는 국내에서 연해주로 온 동포들이 3·1독립선언서 발표 사실을 전해주었다. 김하구金河球는 신한촌 한민학교 기독청년회 집회에서 이 사실을 알렸고, 연해주 한인사회의 항일 분위기는 한층 더 고조되었다.

3월 10일, 전로한족회 회장 김병흡金炳洽은 항일독립운동을 지지하며 격렬한 가두연설을 했다. 3월 14일에는 블라디보스토크 한인들의 집마다 태극기를 나눠주었고, 독립운동 자금도 5루블씩 모금했다.

블라디보스토크에서의 독립만세운동은 당초 3월 15일로 예정되어 있었다. 하지만 영어와 러시아어로 번역된 선언서가 미처 완성되지 않은 데다, 러시아 옴스크정부는 블라디보스토크 지역에 계엄령을 내린 상태였다. 대한국민의회와 블라디보스토크 한족회에도 폐쇄령이 내려졌다. 대한국민의회는 옴스크정부에 시위 및 각국 영사관에의 선언서 배부 허가를 신청했다. 하지만 러시아 정부는 집회를 전면 금지했고, 일본과의 관계에 해가 되는 행위는 모두 금지했다.

결국 대한국민의회는 당초 옴스크정부의 공식 허가를 받아 진행하려던 계획을 포기하고, 비합법적으로라도 독립선언문 낭독과 만세 시위를 감행하기로 했다.

대한국민의회, 최초의 임시정부를 수립하다

1919년 3월 17일 대한국민의회 명의의 독립선언서가 발표되었다. 그로써 대한국민의회 성립도 공식적으로 선포되었다. 3·1운동 이후 국내외에서 최초로 임시정부 성격을 띤 조직이 구성된 것이다. 대한국민의회는 의장제를 채택했는데, 단순한 의회 기능뿐만 아니라 행정, 사법 기능까지 하는 완전한 조직이었다. 의장은 문창범, 부의장은 김철훈, 서기는 오창환吳昌煥이 각각 선출되었다.

대한국민의회 상설의원 수는 처음에는 15명이었으나, 평안도 출신 5명(김치보金致甫, 정재관, 김이직金理直, 이강, 안정근安定根)과 기호 출신 5명(이동녕, 조완구趙琬九, 조성환 외 2명) 등을 더하여 30명이나 되었다. 이 구성원은 함경도 출신 중심의 구성에서 벗어나 임시정부로서의 명실상부한 대표성을 강화했다고 볼 수 있다.

대한국민의회 집행부는 선전부宣戰部(군부이며 나중에 군무부軍務部로 바

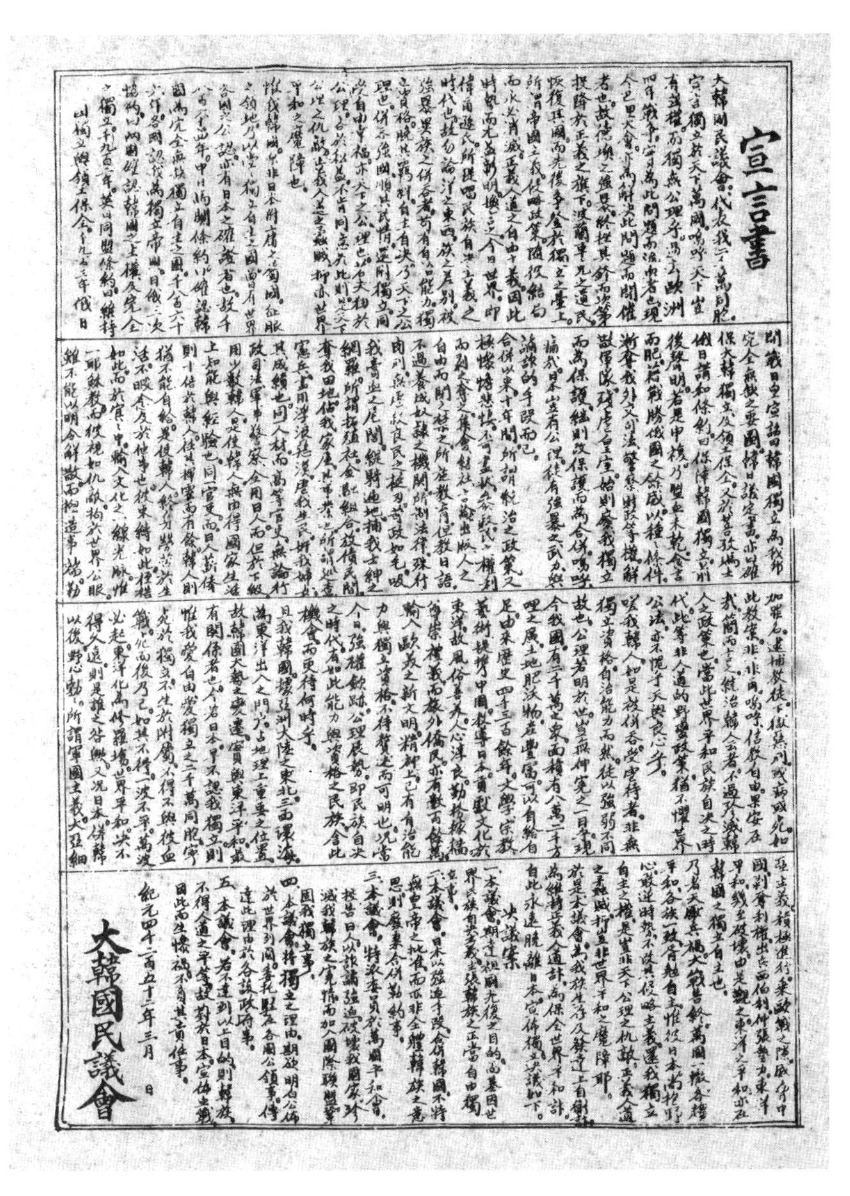

宣言書

大韓國民議會

紀元四千二百五十二年三月　日

대한국민의회 선언서 1919년 3월 17일 러시아 연해주에서 대한국민의회가 한민족의 자주독립과 일본의 식민통치 철폐를 주장한 선언서이다. 이 선언서로 최초의 임시정부 대한국민의회가 성립되었다.

꿈), 재무부, 외교부 세 부서가 있었다. 선전부는 이동휘가 부장으로 독립군 조직(장정 모집, 군사훈련)을 담당했다. 재무부는 기부금 모집 조달 임무를 담당하여 독립운동 자금을 모아 선전부에 제공했다. 외교부는 무기 조달을 위하여 볼셰비키와의 교섭 임무를 담당했는데, 최재형이 맡았고 간도에서 활동했던 박동원朴東轅이 부원으로 활동했다. 지방조직은 전로한족회중앙총회 지방조직이었던 각급 지방한족회가 그 역할을 계속 담당했다.

문창범 대한국민의회 초대 의장이자 대한민국임시정부 교통총장 등을 지냈다. 연해주 한인들은 문창범을 대통령이라 불렀다.

대한국민의회의 독립운동 계획은 당초 경성의 이종호, 연해주의 이동휘, 북간도의 김약연 세 사람 간의 연락으로 기획되었고, 이종호가 파견한 김하석 등의 국내 대표들이 블라디보스토크에 와서 연해주의 주요 지도자들과 협의함으로써 구체적으로 수립되었다.

첫 단계는 독립선언서 발표, 태극기 게양, 가두시위 운동 등 평화 시위운동으로, 2단계는 국내외 무장세력(구한국 시절 해산 군인, 조선보병대, 한인 경찰관, 헌병보조원, 의병 출신자 및 러시아귀화 한인 군인 등)에 의한 국내진입 무력시위운동, 3단계는 무력시위와 동시에 미국이 일본에 간섭하게 하고 파리 파견 대표가 파리강화회의에 진정서를 제출하는 외교 활동으로 추진되었다.

이러한 계획의 최종 목표는 파리강화회의에서 세계인의 주의를 환기

시켜서 한국 독립 문제를 의제로 상정하는 것이었다. 즉, 국내를 '병란지兵亂地'로 만들어 연합국으로 하여금 '하나의 교전단체交戰團體'로 승인케 하는 것이 목표였다. 이를 위해 대한국민의회에서는 윤해와 고창일高昌一을 파리강화회의에 파견했지만, 이 회의에 참석한 열강들이 일본과 전쟁을 벌이면서까지 한국 독립을 관철시키지는 않을 것으로 예상했다.

당시 연해주 한인들은 대한국민의회 의장인 문창범을 대통령이라 불렀다고 한다. 이는 대한국민의회가 임시정부 역할을 했음을 보여주는 한 예다.

동방을 지배하라, 블라디보스토크의 신한촌기념비

아무르만 바다가 내려다보이는 언덕에 신한촌기념비가 우뚝 서 있다. 이곳에 올 때마다 기념비를 지키는 '베체슬라바'라는 카레이스키 2세를 만났는데, 얼마 전 고혈압으로 쓰러져 병원에서 지낸다고 한다. 무척 안타깝다. 이전에 탐방단과 함께 찾았을 때도 건강이 좋지 않아 보였다. 벌써 두 번째 쓰러진 것이라 하니 걱정이 더 된다. 누가 시켜서도 아니고 스스로 기념비를 지키는 그가 빨리 회복되기를 빈다.

최재형기념사업회 조미향 연해주 지부장이 태극기를 꺼내더니 탐방객들에게 태극기를 두르고 사진을 찍게 했다.

제정러시아의 동방정책으로 '동방을 정복하라'는 뜻의 이름으로 부르는 곳, 블라디보스토크. 이곳에서 가장 번화한 아르바트 거리에 대동공보사와 한민학교, 권업회 건물이 있었다고 한다. 그러나 지금은 흔적조차 찾을 수 없다.

블라디보스토크의 현재 모습과 옛 모습

한인들이 모여살던 곳으로 주요 건물이 있던 거리다. 한인들은 이곳을 개척리라고 불렀다.

해삼이 많이 나서 한인들이 '해삼위海蔘威'라고도 불렀던 블라디보스토크는 러시아 연해주의 중심 도시였다. 군항을 건설하면서 일자리도 아주 많았기 때문에 한인들이 이주하여 모여 살기 좋은 조건을 갖추고 있었다.

조미향 지부장이 연해주 한인 역사를 들려준다.

"한인들은 1868년경부터 블라디보스토크에 들어오기 시작했어요. 1870년대에 군항 건설 공사가 진행되면서, 더 많은 한인이 이곳으로 모여들었죠. 기록을 보면, 1886년에 400명이었고, 1891년에는 840여 명에 이르렀습니다. 1891년부터 시베리아횡단철도를 건설하게 되어 한인 노동력이 필요했죠. 한인 인구가 점점 늘어나자, 시 당국에서는 1893년 한인들이 집단으로 거주할 구역을 설정했어요. 그 후 러시아 당국이 연해주 개발을 본격화하자 일자리는 더욱 늘어났습니다. 블라디보스토크로 들어오는 한인 수도 계속 증가했고요.

한인들이 주로 모여산 곳은 '금각만金角灣'이라고 부르던 아무르만에 접한 남쪽 언덕 일대입니다. 러시아인들은 이곳을 고려인촌高麗人村 또는 한인촌韓人村이라는 뜻의 '카레이스카야 슬라보드카'라고 불렀어요. 중앙 거리는 '한국 거리'라는 뜻의 '카레이스카야 울리차'였고요. 한인들이 '웅덕마퇴'라고 부르던 지역과 그 아래 저지대인 '둔덕마퇴' 일대입니다. 최초의 한인 집단 거주지인 이 일대를 한인들은 '개척리'라고 불렀어요. 1885년과 1892년, 노동자들이 거주하던 지역에 콜레라가 발생했을 때, 블라디보스토크 시당국은 서쪽 외곽 한 구역 일대를 한인 주거지로 정했고, 한인들은 이 결정에 따라 1893년 거주지를 옮겨야 했습니다.

1911년 러시아는 콜레라가 창궐하자 개척리를 강제로 철거하고 이 일대를 기병대 숙소로 삼았어요. 그 후부터 이곳은 구개척리가 되었고, 한인들은 여기에서 북쪽으로 2km 정도 떨어진 곳으로 또 옮겨가야 했습니다. 그곳은 산비탈로 높고 건조했고, 아무르만을 굽어보는 경치 좋은 곳이었죠. 한인들은 피땀을 흘려 마을을 건설했습니다. 새로운 한국을 부흥시킨다는 의미로 '신한촌'이라고 했어요."

한인 마을을 신한촌이라고 부르게 된 사연이다. 한인들은 부엌에 솥과 옹기를 걸었고, 난방을 위해 전부 온돌을 놓았다. 1915년에는 신한촌 한인 수가 약 1만 명에 달했다고 한다.

신한촌, 국외 독립운동의 기지가 되다

서북간도 및 연해주 한인사회를 배경으로 건설된 신한촌은 항일 민족 지사들의 집결지였다. 나아가 국외 독립운동의 중추기지로 발전해 많은 애국지사가 이곳으로 망명했다. 이범윤, 홍범도, 유인석, 이진룡 같은 의병장과 국내외에서 애국계몽운동을 주도하던 인물들이 주를 이루었다.

헤이그 특사인 이상설, 이위종을 비롯하여 북간도 용정촌과 서간도 삼원포에서 민족주의교육을 실시하던 이동녕, 정순만, 미주에서 공립협회와 국민회를 조직해 활동하던 정재관, 이강, 김성무金成茂 등이 이곳에 일차 집결했다.

또한, 국내에서 신민회를 조직해 활동하던 안창호를 비롯해 이종호, 이갑, 조성환, 유동열柳東說 등도 이곳으로 모여들었다. 그밖에도 민족주의 사학자 박은식, 신채호申采浩가 합세했으며, 기독교계의 이동휘와 대종교의 백순白純 등을 비롯한 교육 및 종교계 애국계몽 운동가들도 연이어 모였다.

신한촌기념비 1999년에 세워졌으며, 세 개의 대리석 기둥은 한국, 북한, 카레이스키(고려인)를 상징한다.

이곳에 모인 항일민족운동가들은 연해주 한인사회의 지도급 인물이었던 최재형, 최봉준崔鳳俊, 문창범, 김학만 등과 손을 잡았다.

일제는 신한촌 외곽 약 1㎞ 지점에 영사관을 두고 신한촌을 중심으로 한 이와 같은 항일민족운동의 동태를 감시했다.

신한촌을 중심으로 이처럼 활발하게 전개되던 항일민족운동도 1914년 1차 세계대전 발발과 함께 러시아의 전시 체제 확립으로 탄압을 받는다. 이후에는 민족운동의 중심지가 북간도로 옮겨가게 되었다. 그러나 1937년 동아시아 지역 한인의 중앙아시아 강제이주로 신한촌이 폐쇄될 때까지 이곳에서의 독립투쟁은 계속되었다.

신한촌기념비는 1999년에 세웠다. 한국, 북한, 카레이스키를 상징하는 세 개의 대리석 기둥이다. 중앙아시아로 강제이주당한 카레이스키들도 남과 북의 한민족임을 잊지 말자는 뜻일 것이다.

우수리스크에 남은 최재형 고택, 최재형기념관으로 새 단장

최재형기념관 앞에서 우수리스크에 사는 카레이스키 최소망 할머니를 만났다.

"할머니께선 강제이주를 당한 1세대이시네요. 어떻게 사셨어요?"

"내 나이 여든여섯이오. 우리 부모님은 빼앗긴 나라를 되찾는 게 꿈이었소. 지금 내 꿈은 남과 북이 하나 되는 것이오. 원래대로 말이오."

할머니는 네 살 때 중앙아시아 우즈베키스탄으로 강제이주당했다. 어릴 때 부모님을 잃어 고아로 성장했다. 할머니는 교사가 되어 소비에트 시절 56년 동안 근속하여 훈장을 두 번이나 받았다고 한다.

우수리스크에 남은 최재형 고택은 2019년 3월 28일 '최재형기념관'으로 바뀌어 연해주 역사탐방단이 꼭 들르는 필수 코스가 되었다. 최재형은 1920년 일본이 저지른 사월참변(신한촌 참사) 때, 4월 5일에 붙잡혀 4월 7일 일본의 총탄에 순국했다.

최재형은 1919년 3월 17일 최초의 임시정부인 노령정부(대한국민의회)에서 외교부장이 되었고, 같은 해 4월 11일 상하이임시정부에서는 초대 재무총장으로 임명되었다. 지금까지는 최재형이 재무총장에 임명되었지만 수락하지 않았다고 알려졌다. 하지만 1919년 6월 21일 상하이임시정부 재무총장 최재형 이름으로 '인구세와 애국금에 관한 문서'가 발송된 것을 확인했다.

김월배 교수는 경북안동독립기념관이 발간한 『고등경찰 요사』, 188쪽 임시정부 내각 변동사항에 1919년 6월까지 최재형이 재무총장이었음이 기록되어 있다고 했다. 국사편찬위원회의 대한민국임시정부자료집 기록

3월 28일 개관한 최재형기념관과 최재형 후손들
왼쪽부터 최재형 증손자 최표트르,
외손자 알레고비치 쇼루코브, 문영숙, 손자 최발렌틴

에도 최재형이 약 두 달여 동안 재무총장직을 수행한 것으로 나와 있다.

2019년 2월 20일, 최재형의 일생을 담은 뮤지컬 〈페치카〉가 세종문화회관에서 공연되었다. 문재인 대통령은 2018년 6월 21일 러시아 하원연설에서 연해주에서 활동한 홍범도, 안중근, 최재형, 이상설을 언급하며 연해주 독립운동을 강조했다. 2019년 4월 4일에는 국회 의원회관 대회의실에서 〈최재형순국100주년 추모위원회〉가 발족되어 러시아 연해주 독립운동의 대부로 불렸던 최재형이 많은 사람에게 알려지는 계기가 되었다.

일제 식민 치하에서 독립투사들의 목표는 오로지 나라를 되찾는 것이었다. 임시정부 수립 100년을 맞은 2019년 오늘, 최초로 임시정부가 수립되었던 땅 연해주는 우리나라와 떼려야 뗄 수 없는 역사를 공유한 땅이다.

2

대한민국임시정부가 수립되다

중국 상하이 | 1919년 4월~1932년 4월

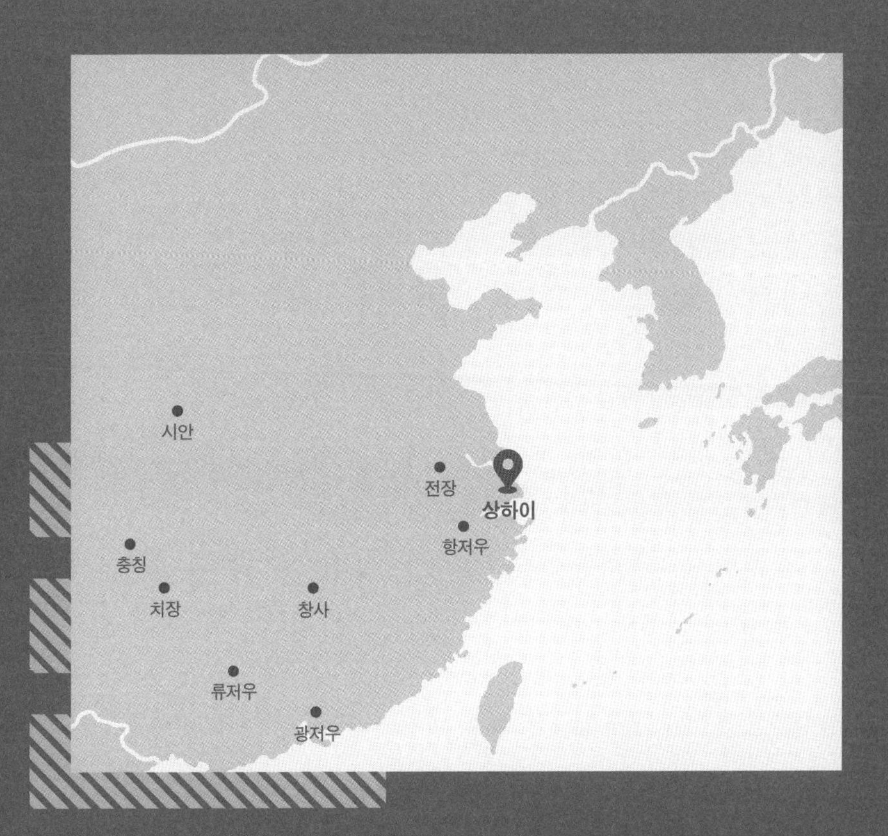

상하이 대한민국임시정부 기념관에 가다

2019년 임시정부 수립 100년, '임정 루트를 가다'를 목표로 러시아 연해주 답사를 마치고 2018년 11월 14일부터 22일까지 8박 9일간의 중국 임시정부 루트 답사 여정에 올랐다. 상하이, 자싱, 항저우, 충칭을 거쳐 시안까지 중국에서 머물렀던 대한민국임시정부의 흔적을 더듬는 여행이었다.

상하이 푸동공항에서 합류하기로 한 김월배 교수가 웨이하이에서 일찍 출발한다는 메시지가 왔다. 그는 나와 동향으로 안중근아카데미로 인연을 맺었다. 나는 한국에서 안중근 홍보대사로 활동하는 중이다.

임정 루트 답사는 김월배 교수의 제안으로 갑자기 이루어졌다. 김 교수는 독립군이 걸었던 여정을 따라가야 하니, 독립군 복장이면 어떻겠냐고 했다. 그래야 진정한 답사를 할 수 있다고 했다. 특히 여행용 캐리어를 끌고 다닐 수 없다고 못을 박았다. 나는 20대 청춘에게나 어울릴법한, 산악인이 사용하는 큰 배낭을 새로 장만했다. 짐을 꾸리며

27년간 임시정부가 걸은 고난의 길을 편하게만 돌아볼 순 없다는 사명감마저 생겼다. 이순 중반을 넘긴 내 몸이 제대로 버텨줄까 걱정하면서 인천공항으로 향했다.

인천공항을 이륙한 지 한 시간 반 만에 푸동공항에 도착했다는 안내방송이 나왔다. 상하이와 인천의 시차는 한 시간이다. 김 교수에게 도착했다는 메시지를 보냈다. 김 교수도 웨이하이에서 출발해 상하이 푸동공항에 도착할 예정이었다. 그런데 짙은 안개 때문에 비행기가 출발하지 못했다는 메시지가 날아왔다. 김 교수가 도착하기 전까지 나는 푸동공항에서 미아나 다름없었다.

중국 답사 첫날부터 일정에 차질이 생겼다. 나는 우선 편한 자리에 앉아 웨이하이의 안개가 걷히기만을 빌며 기다리는 수밖에 없었다.

오후 세 시가 지나서야 김 교수와 만났다. 우리는 점심도 거른 채 자기부상열차를 타러 역으로 뛰어갔다. 김 교수의 말대로 상하이 첫 행보부터 독립군이 된 기분이었다. 자기부상열차는 당일 항공권에 한해 10%를 할인해 주었다. 중국은 기차를 타든, 지하철을 타든, 모든 짐을 엑스레이 검색대를 통과하게 한다. 자기부상열차를 타고 롱양루에서 내려 지하철 2호선으로 난징동루까지 간 다음, 다시 10호선으로 환승해서 임시정부기념관이 있는 신티엔디역에 내렸다.

현재 대한민국임시정부 청사가 있는 곳은 상하이 프랑스조계 마당루 푸징리上海 法界 馬當路 普慶里 4호. 이곳이 윤봉길 의거가 일어났던 1932년까지 임시정부가 있던 곳이다. 지금까지는 1919년 4월 10일 첫 번째 의정원 회의가 열렸던 곳이 상하이 진션푸루 2층 양옥으로 알려져 있었다. 그러나 첫 회의가 열렸던 당시엔 임정요인들 거처에서 돌아가면서 회의했

중국 상하이 대한민국임시정부의 첫 번째 청사 프랑스조계 내에 있었으며, 안창호가 미국 대한인국민회에서 자금을 지원받아 마련한 곳이다.

고, 사진으로만 전해지는 진센푸루 2층 양옥에는 1919년 8월에 미국에서 돌아온 안창호가 합류한 후 입주해 임시정부 청사로 사용되었다.

안창호는 임시정부를 실질적으로 책임지고 운영하면서 상하이 한복판의 유서 깊은 거리인 샤페이루霞飛路 321호(현재 화이하이중루淮海中路)에 1호 청사를 마련했다. 그러나 현재는 형체를 찾을 수 없고 주변이 모두 패션 상가 거리로 바뀌었다고 한다.

2019년 3월 7일 자 연합뉴스는 '상하이시 당안관에서 근무하다 퇴직한 역사학자 쉬홍신許洪新 씨로부터 제공받은 1920년 당시 프랑스조계 당국의 지도에 '샤페이루 청사'는 현재도 옛 모습을 간직한 쑨원孫文의 집무 건물이 있는 대로의 맞은편에 있었다. 정확히는 현재 리복 매장 건물과 H&M 매장 건물의 가운데 자리였다.'라고 밝히고 있다.

드디어 대한민국임시정부구지大韓民國臨時政府舊址 표지판이 보였다. 대한민국임시정부 구지관리처 야요팅팅姚婷婷 연구실 부주임이 기다렸다는 듯 김 교수를 반기며 유창한 한국어로 인사한다.

"환영합니다. 어서 오세요."

대한국민의회,
대한민국임시정부(상하이),
한성임시정부

당시 상하이는 영국, 프랑스, 미국 등의 조계가 있는 도시였다. 각 조계는 일본의 영향이 미치지 않는 곳이어서 한국 독립지사들에게는 무척 매력적인 곳이었다. 특히 프랑스 인사들이 한국 독립운동에 우호적이어서 독립지사들은 그들의 도움으로 프랑스조계에 살면서 항일 활동을 계획했다.

1918년 신한청년당新韓青年黨이 상하이 프랑스조계에서 창립되었다. 신한청년당은 일본 유학을 하면서 국제 정세에 밝았던 여운형呂運亨, 선우혁鮮于爀, 장덕수張德秀가 조직한 비밀결사체였다.

1919년 1월부터 6월까지 1차 세계대전 뒤처리를 위한 강화회의가 프랑스 파리에서 열렸다. 신한청년당의 초청으로 각지 독립운동가들이 상하이로 모여들었고, 이들은 국제적으로 나라를 대표할 주체가 필요함을 절감했다. 1919년 2월 1일 영어에 능통한 김규식金奎植을 파리강화회의에 파견했다.

1918년 11월 11일 1차 세계대전이 끝난 후, 미국 대통령 윌슨이 선포한 민족자결주의 역시 한국 독립운동가들에게 큰 영향을 끼쳤다. 민족자결주의는, 각 민족은 정치 운명을 스스로 결정할 권리가 있으며, 다른 민족의 간섭을 받을 수 없다는 것이었다.

이에 영향받은 민족 지도자들은 1919년 3월, 고종 장례일(인산일)을 이틀 앞두고 독립선언서를 선포했고, 만세운동은 전국으로 번져나갔다.

당시 러시아, 중국, 국내 각 지역에서 활동하던 독립단체들은 임시정부라는 구심체를 만들었는데, 무려 8개나 생겨났다. 그중 노령(연해주) 지역의 '대한국민의회 정부', 상하이의 '대한민국임시정부大韓民國臨時政府', 국내의 '한성임시정부漢城臨時政府' 등 3개는 실체가 있는 정부였고, 이름만 있는 정부로 '조선민국임시정부朝鮮民國臨時政府' '신한민국임시정부新韓民國臨時政府' '대한민간정부大韓民間政府' '고려임시정부高麗臨時政府' '임시대한공화정부臨時大韓共和政府' 등이 있었다.

노령 연해주의 대한국민의회

임시정부로 제일 먼저 조직된 노령 연해주의 '대한국민의회'(이하 노령임정)는 한족회중앙총회韓族會中央總會를 개편한 것이다. 1919년 3월 17일 〈독립선언서〉를 반포하고 임시정부를 수립하여 일본에 한국의 독립과 정부 승인을 요구했다. 동시에 이를 인정하지 않을 경우 일본과 혈전을 벌이겠다는 〈결의문〉과 함께 정부 '각료 명단'을 발표했다.

노령임정의 특징은 '의회' 중심 체제로, '행정부'는 '의회'에 부속되어 있었다. 따라서 임시정부 통합 시 의회를 흡수하면 쉽게 통합할 수 있는 구조였다.

상하이 대한민국임시정부

상하이에서는 국내파(33인과 일본 활동가)와 해외파(해외 독립운동가 중심)가 '독립임시사무소'를 설치했다. 이동녕, 이시영李始榮, 조소앙趙素昻, 조성환, 현순玄楯 등 8인 위원회가 구성되었고, 1919년 4월 10일 저녁 10시에 회의가 열렸다. 이때 청사를 마련하지 못해 현순의 집에 모였다는 설도 있다. 참석한 사람은 모두 29명. 이들은 '대한민국임시의정원大韓民國臨時議政院'을 개설하고 이동녕과 손정도를 각각 의장과 부의장으로 선출했다. 이날 첫 임시의정원 회의를 열고 임시헌법을 만들었다. 국호는 '대한민국'이며, 제1조는 '대한민국은 민주공화제로 함'이었다.

『조선민족운동연감朝鮮民族運動年鑑』에는 다음과 같은 기록이 있다.

> '대한민국임시정부 제1회 의정원회의'가(개회는 1919년 4월 10일 오후 10시, 폐회 4월 11일 오전 10시) 상하이의 프랑스조계 진센푸루에서 상하이, 국내, 러시아 등지에서 활동하는 독립운동 대표자 29명(출석의원 현순玄楯, 손정도孫貞道, 신익희申翼熙, 조성환曺成煥, 이광李光, 이광수李光洙, 최근우崔謹愚, 백남칠白南七, 조소앙趙素昻, 김대지金大地, 남형우南亨祐, 이회영李會榮, 이시영李始榮, 이동녕李東寧, 조완구趙琬九, 신채호申采浩, 김철金澈, 선우혁鮮于爀, 한진교韓鎭教, 진희창秦熙昌, 신철申鐵, 이한근李漢根, 신석우申錫雨, 조동진趙東珍, 조동우趙東祐, 여운형呂運亨, 여운홍呂運弘, 현창운玄彰運, 김

동삼金東三)이 모여 대한민국임시정부를 수립하기 위한 회의를 열었다. 주요 의결사항은 '국호 및 관제 등 결의'이었다. 이 회의에서 대한민국임시의정원을 구성하고 대한민국이라는 국호와 민주공화제를 표방하는 임시헌장 10개조를 제정·공포한 뒤, 국무총리를 수반으로 하는 6부의 국무원을 구성하였다. 1919년 4월 11일까지 개최된 제1회 대한민국임시의정원에서는 초대 의장에 이동녕, 부의장에 손정도를 선출하였으며, 국호를 대한민국이라고 의결하였다.

신석우 국호 대한민국을 발의했다.

대한제국大韓帝國은 1897년 10월 고종이 선포한 국호이다. 제국은 황제가 있고 백성이 있는 군주국가이다. 그러나 1919년 4월 11일 상하이에 세운 임시정부는 국호를 백성이 주체인 대한민국으로 바꾼다. 이 회의에서 국호를 '대한민국'으로 하자고 의견을 낸 사람은 신석우申錫雨였다.

신석우는 대한민국임시정부 교통총장직을 맡았던 언론인이자 독립운동가이다. 그는 임정의 첫 임시의정원 회의에서 대한민국 국호를 발의했다. 당시 나이는 스물다섯이다. 그가 '대한민국大韓民國'으로 국호를 정하자고 하니 '대한'이라는 이름으로 나라가 망했는데 또다시 '대한'을 계속 쓰는 것이 부적절하다는 주장이 나왔다. 그때 신석우는 나라를 빼앗겼을 뿐이니, 우리가 국호를 다시 찾아야 나라를 찾는 것이라고 주장하면서 '대한'을 유지하자는 의견을 냈다. 이 의견이 힘을 얻었고, 여기에 제국 대신 '민국'을 붙이자는 의견도 신석우가 냈다. 국민이 주인인 나라의 탄생이었다.

신석우는 "대한으로 망했으니 대한으로 다시 흥해보자"라고 부연 설명

대한민국임시의정원 태극기 임시정부와 임시의정원에서 사용했을 것으로 보인다. 직접 바느질하여 만든 것으로, 벽면에 달기 위해 묶는 줄이 있다.

하여 만장일치로 국호가 대한민국으로 결정되었다. 중국이 신해혁명 이후 '중화민국'이라는 국호를 사용한 것을 참고했다고 하며, 민주공화국을 의미하는 명칭으로 적합하다고 모두 공감했다.

상하이 대한민국임시정부(이하 상하이임정)는 의회인 '의정원'과 행정부인 '국무원'을 잘 정비한 임시정부였으며, 헌법도 〈임시헌장〉 형식으로 노령임정의 〈결의문〉이나 한성임시정부의 〈약법〉보다 상대적으로 잘 갖춘 것이었다.

임시헌장은 선서문에 3·1운동을 넣은 10개 조 헌법이었다.

대한민국 임시헌장 선포문

신인神人의 일치로, 중외中外가 협응하여, 서울에서 일어난 지 30여 일 만에 평화적 독립을 300여 주에 광복하고, 국민의 신임으로 완전히 다시 조직한 임시정부는 항구적이고 완전한 자주독립의 복리에 우리 자손 만민에게 대대로 계승케 하기 위하여 임시의정원의 결의로 임시헌장을 선포한다.

제1조 대한민국은 민주공화제로 한다.

제2조 대한민국은 임시정부가 임시의정원의 결의에 따라 통치한다.

제3조 대한민국의 인민은 남녀의 귀천 및 빈부의 계급이 없고, 일체 평등하다.

제4조 대한민국의 인민은 종교, 언론, 저작, 출판, 결사, 집회, 신서信書, 주소, 이전, 신체 및 소유의 자유를 향유한다.

제5조 대한민국의 인민으로 공민 자격이 있는 사람은 선거권 및 피선거권을 가진다.

제6조 대한민국의 인민은 교육, 납세 및 병역의 의무를 가진다.

제7조 대한민국은 신神의 의사에 의하여 건국한 정신을 세계에 발휘하며 나아가 인류의 문화 및 평화에 공헌하기 위하여 국제연맹에 가입한다.

제8조 대한민국의 구황실을 우대한다.

제9조 생명형 신체형 및 공창제를 모두 폐지한다.

제10조 임시 정부는 국토 회복 후 만 1년 내에 국회를 소집한다.

대한민국 원년1919 4월 11일

선서문

존경하고 열애하는 우리 2,000만 동포 국민이어.

민국 원년1919 3월 1일 우리 대한민족이 독립을 선언한 뒤부터 남녀노소와 모든 계급과 모든 종파를 물론하고 일치단결하여 동양의 독일인 일본의 비인도적 폭행 하에 극히 공명하게, 극히 인욕忍辱하게 우리 민족의 독립과 자유를 갈망하는 실사實思와 정의와 인도를 애호하는 국민성을 표현한지라. 지금에 세계의 동정同情이 흡연翕然하게 우리 국민에 집중하였다. 이때를 당하여 본 정부가 전 국민의 위임을 받아 조직되었으니 본 정부가 전 국민과 더불어 전심으로 서로 힘을 모아 임시헌법과 국제도덕의 명한 바를 준수하여 국토 광복과 방기확국邦基確國(나라의 토대를 확실히 세움)의 대 사명을 이루기를 이에 선서하노라.

동포 국민이어, 분기할지어라. 우리가 흘리는 한 방울의 피가 자손만대의 자유와 복영福榮의 값이요, 신국神國 건설의 귀한 기초이라. 우리의 인도가 마침내 일본의 야만을 교화할지오, 우리의 정의가 마침내 일본의 폭력을 이길 것이니 동포여 일어나 최후의 1인까지 싸울지어다.

위에 명시된 대로 대한민국 임시헌장 제1조는 "대한민국은 민주공화제로 함"이라고 규정하여 새 임시정부와 대한민국의 정치체제가 '민주공화제'임을 천명했다. 상하이임정 체제는 의정원이 중심이 된 '의원내각제'로 정무원(행정부) 수반으로 국무총리를 두어 이승만을 국무총리로 선출했다.

4월 11일에 발표된 대한민국임시정부 각료 명단이다.

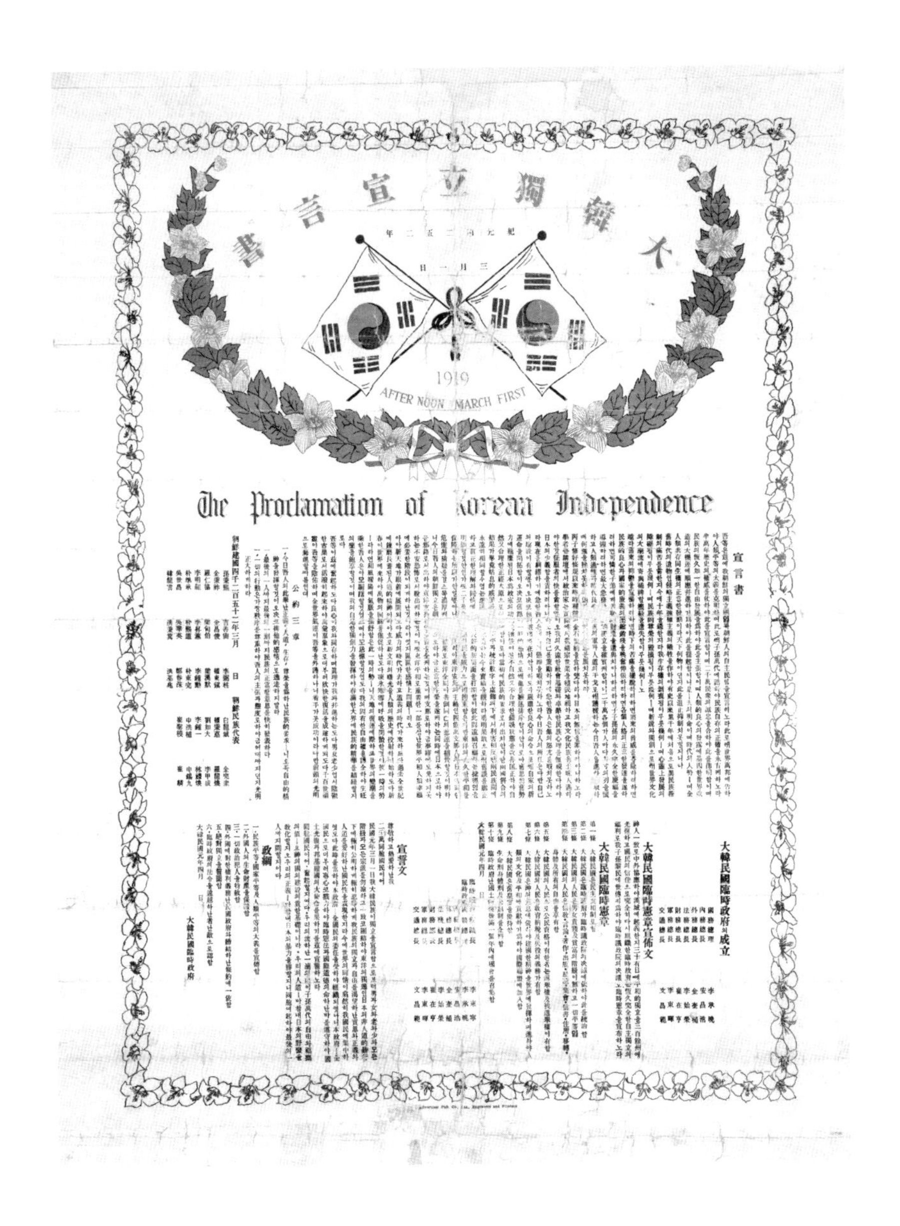
大韓獨立宣言書

紀元四二五二年

三月一日

1919

AFTER NOON MARCH FIRST

The Proclamation of Korean Independence

宣言書

公約三章

大韓民國臨時政府의 成立

大韓民國臨時憲章宣佈文

大韓民國臨時憲章

宣誓文

政綱

大韓民國臨時政府

1919년 미국 하와이 대한인국민회의 독립선언서 민족대표 33인이 발표한 독립선언서 전문과 상하이 대한민국임시의정원의 임시헌장 선포문과 임시헌장이 수록되어 있다.

임시의정원 의장 이동녕

임시정부 국무총리 이승만

내무총장 안창호

외무총장 김규식

법무총장 이시영

재무총장 최재형

군무총장 이동휘

교통총장 문창범

임시정부는 임시의정원에 의해 탄생했고, 임시의정원에 의해 임시정부로서의 위상을 지닐 수 있었다.

서울에서 조직된 한성임시정부

한성에서도 1919년 3월 초부터 임시정부 수립을 논의했다. 3월 16, 17일에는 경성부 내수동 64번지(현재 경희궁의아침)에 이교헌李敎憲, 윤이병尹履炳, 윤용주尹龍周, 최전구崔銓九, 이용규李容珪, 김규金奎, 이규갑李奎甲 등이 모여 한성임시정부(이하 한성임정)를 비밀리에 조직했다. 4월 23일에는 13도 대표 25명의 이름으로 선포문을 발표했다. 한성임정은 신한청년당이 주축이 되어 이승만을 집정관총재로, 이동휘를 국무총리로 하는 민주체제 정부였다.

실제로 4월 2일 천도교, 기독교, 불교, 유교 등 각 종교 대표와 13도 지

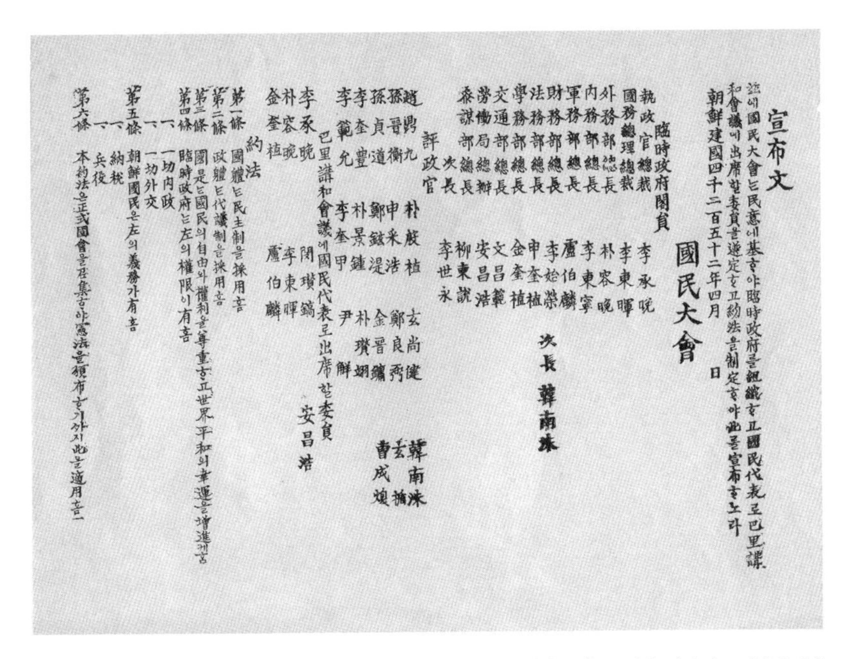

宣布文

玆에 國民大會는 民意에 基ᄒᆞ야 臨時政府를 組織ᄒᆞ고 國民代表로 巴里講和會議에 出席할 委員을 選定ᄒᆞ고 約法을 制定ᄒᆞ야 此를 宣布ᄒᆞ노라

朝鮮建國四千二百五十二年四月 日

國民大會

臨時政府閣員

執政官總裁 李承晩
國務總理總裁 李東暉
外務部總長 朴容晩
內務部總長 李東寧
軍務部總長 盧伯麟
財務部總長 李始榮
法務部總長 申奎植
學務部總長 金奎植
交通部總長 文昌範
勞働局總辦 安昌浩
參謀部總長 柳東說
次長 李世永

次長 韓南洙

評政官
趙鼎九 朴殷植 玄尙健
孫晋衡 申采浩 鄭良弼
孫貞道 鄭鉉湜 金晋鏞
李奎豊 朴景鍾 朴瓚翊
李範允 李奎甲 尹解

韓南洙 玄楯 曺成煥

巴里講和會議에 國民代表로 出席할 委員
李承晩 閔瓚鎬 安昌浩
朴容晩 李東暉
金奎植 盧伯麟

約法
第一條 國體는 民主制를 採用함
第二條 政體는 代議制를 採用함
第三條 國是는 國民의 自由와 權利를 尊重ᄒᆞ고 世界平和의 幸運을 增進케 함
第四條 臨時政府는 左의 權限이 有함
一、一切內政
一、一切外交
第五條 朝鮮國民은 左의 義務가 有함
一、納稅
一、兵役
第六條 本約法은 正式國會를 召集ᄒᆞ야 憲法을 頒布ᄒᆞ기까지 此를 適用함

한성임시정부 선포문 1919년 4월 국민대회를 개최하고 수립된 한성임시정부 선포문이다. 정부 각료 명단과 평정관, 임시정부 약법 등이 기록되어 있다.

방대표 등 20여 명이 인천 만국공원 부근의 음식점에서 회의를 열었다. 이 회의에서 '국민대회'를 서울에서 개최하여 '임시정부 수립'을 국내외에 선포하고 파리평화회의에 임시정부 대표를 파견할 것을 결정했다. 이때 준비위원을 선출했으며, 이들은 이후 몇 차례 준비회의를 갖고 〈국민대회 취지서〉 〈선포문〉 〈임시정부 약법約法〉 등을 만들었다.

한성임정은 3·1운동 정신을 가장 선명하게 계승한 정부였다. 3·1운동 주체 세력 중에서 일제 관헌에게 체포되지 않았던 홍진洪震, 洪冕熹, 이규갑, 한남수韓南洙, 김은국金恩國 등이 중심이 되었다.

한성임정의 국민대회 개최 일시와 장소는 1919년 4월 23일 서울 서린동의 중식점 봉춘관奉春館으로 정했다. 준비위원들은 그날 학생과 시민, 노동자들을 동원해 '국민대회'와 '임시정부' 수립을 알리는 시위운동을 하도록 조직하고 준비했다.

1919년 4월 23일 전국 13도 대표가 봉춘관에 모여 '국민대회'를 열고 〈국민대회 취지서〉 〈선포문〉 〈임시정부 약법〉을 채택했다. 또 정부 각료와 평정관을 선출하고, 파리평화회의에 파견할 국민대표를 선정했다.

한성임정 각료 명단이다.

집정관총재 이승만

국무총리총재 이동휘

외무부총장 박용만

내무부총장 이동녕

재무부총장 이시영

군무부총장 노백린

법무부총장 신규식

학무부총장 김규식

교통부총장 문창범

노동국총판 안창호

참모부총장 유동열

한성임시정부 〈임시정부 약법〉은 제1조 '국체는 민주제를 채용함', 제2조 '정체는 대의제를 채용함'이라고 하여 의회민주주의 민주공화제 정부를 조직했음을 밝혔다.

이처럼 한성임정을 조직한 국민대회 대표자들은 4월 23일 정오에 학생과 시민대표를 종로 보신각 앞, 서대문, 동대문, 남대문 네 곳으로 보냈다. 그곳들에서 태극기를 들고 '독립만세'와 '국민대회 공화만세' 구호를 외치며 〈국민대회 취지서〉 〈임시정부 선포문〉 〈임시정부 약법〉 〈임시정부 명령〉 등의 전단을 뿌리며 시위운동을 시작했다. 하지만 곧 일제 군경에 진압되어 큰 시위로는 발전하지 못했다.

한성임시정부의 〈임시정부 약법〉은 다음과 같다.

제1조 국체는 민주제를 채용한다.

제2조 정체는 대의제를 채용한다.

제3조 국시는 국민의 자유와 권리를 존중하고 세계평화의 행복을 증진하게 한다.

제4조 임시정부는 일체내정一切內政, 일체외교一切外交의 권한을 갖는다.

제5조 조선 국민은 납세, 병역의 의무가 있다.

제6조 본 약법은 정식 국회를 소집하여 헌법을 반포할 때까지 적용한다.

한성임정의 존재는 연합통신UP에 보도됨으로써 국제적으로도 알려지게 되었다. 이처럼 한성임정이 서울에서 국민대회라는 절차에 따라 조직된 점은 후일 여러 정부의 통합 과정에서 정통성을 확보하는 중요한 역할을 했다. 하지만 한성임정은 조선총독부의 삼엄한 감시로 국내에서 활동하기가 어렵게 되자 상하이로 모여들었다.

안창호, 세 개의 임정을 통합정부로 만들다

3·1운동 이후 러시아 연해주, 중국 상하이, 국내 한성에서 여러 임시정부가 수립되었다. 일제의 탄압과 감시가 심해져 국내외 독립운동가 및 단체들이 신속하게 연락하거나 충분히 논의할 수 없었기 때문이다.

그러나 대외적으로 단절된 민족 정권을 계승한 정부로서 정통성을 가지고 국내외 독립운동을 지도하고 진행해 나가려면 하나의 정부로 통합할 필요가 있었다. 실체가 없었던 조선민국임시정부나 신한민국임시정부, 대한민간정부 등은 크게 문제 되지 않았지만 노령임정과 상하이임정, 한성임정은 실체가 분명한 조직이었기 때문이다. 하나의 민족국가에 3개의 임시정부는 있을 수 없었다.

노령임정은 '의회정부'를 강조했고, 상하이임정은 '의정원'(의회)과 '정무원'(행정부, 내각)과 '임시헌법'을 제도적으로 잘 갖추었으며, 한성임정은 3·1운동의 정통성을 직접 계승한 정부였다. 따라서 세 임정이 하나로

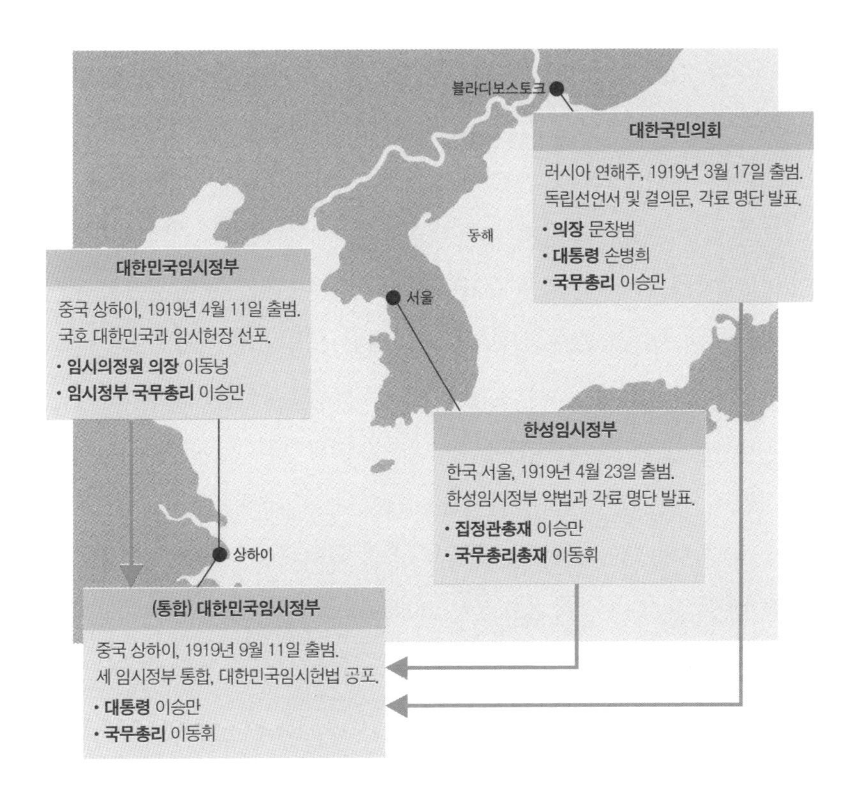

통합한다면, 한민족의 3·1운동을 직접 계승한 민족 정부의 역할과 기능을 할 것이었으며, 민족사적 의의는 매우 클 터였다.

상하이임정 내에도 여러 파벌이 있었다. 공식적으로는 의정원회의를 통해 운영되었지만, 이승만·현순 등의 기호파, 안창호·김구 등의 서북파, 신채호·박용만 등의 베이징파, 이동휘·윤해 등의 상하이파, 고려공산당과 문창범·여운형 등의 이르쿠츠파 고려공산당, 그리고 무정부파인 김원봉金元鳳 등 불협화음이 무척 심했다.

1919년 5월 말 미국에서 독립운동을 이끌던 안창호는 중국 상하이에 도착한다. 그는 노령임정과 상하이임정 양자를 통합하는 역할을 맡았다. 그는 두 단체의 이해관계를 조정하기 위해 상하이임정의 내각 구성을 일단 접어두고 한성임정 안으로 새로운 정부를 구성하자고 제안했다.

안창호는 한성임정 안에 따라 이승만을 국무총리에서 집정관총재로 하고, 노령임정의 이동휘와 문창범은 각각 국무총리와 교통총장으로 정하면 노령임정이 자연스럽게 동의하리라 믿었다. 노령임정은 이 안을 받아들여 이동휘와 문창범이 상하이로 왔다. 그러나 통합정부를 새로 구성하는 것이 아니라 상하이임정 개편에 불과한 것에 실망하여 문창범은 러시아로 돌아갔다. 이동휘만 국무총리직을 수락했다.

1919년 5월 13일 상하이임정은 의정원 회의에서 '각 지에 산재한 각 의회를 통일할 것'을 결의했고, 7월 11일 제5회 의정원 회의에서는 의회 통일 문제에 대해 다음과 같이 의결했다.

1. 임시정부 위치는 상하이에 둠. 단, 정부 의사 및 상하이 거류민의 여론에 따라 수시 자유로 위치를 변경할 수 있음.
2. 임시의정원 및 노령 국민의회를 합병하여 위치를 노령으로 할 것을 절대 주장할 때는 이를 허락함(단, 의정원 조직에 있어서 노령에서는 6인 이내의 의원을 선출할 것).

이 결의안은 노령임정 측 제안에 대해 '통합 임시정부' 위치는 상하이를 선호하나 변경할 수 있으며, 의회 위치는 노령(연해주)에 둘 수 있으나 그 경우 노령임정에서는 의원을 6인 이내로 두어야 한다는 타협안이었다.

상하이임정은 내무차장 현순을 특사로 보내 노령임정의 이동휘와 이 결의안으로 협의하게 했다. 그 결과, '정부'(내각)와 '의회' 위치를 분리하는 것은 불합리하므로 '임시정부'(정무원)와 '의회'(의정원)를 모두 상하이에 두되, 노령임정 의원의 5분의 4가 의정원 의원이 되는 것으로 합의했다. 마침내 상하이 임시의정원과 노령임정의 통합이 실현되었다.

한편, 상하이임정과 한성임정의 통합을 위해 대표를 각지로 보내 의견을 모았다. 이후 다음과 같은 타협안이 나왔는데, 한성임정의 정통성(또는 법통성)을 중심으로 통합할 것을 제의했다.

1. 상하이와 노령에 설립한 정부들은 모두 없애고 오직 국내에서 13도 대표가 창설한 한성임정을 계승할 것이니 국내 13도 대표가 민족 전체 대표인 것을 인정함이다.
2. 정부 위치는 아직 상하이에 둘 것이니 여러 곳에 연락이 비교적 편리한 까닭이다.
3. 상하이에서 설립한 정부의 제도와 인선을 없앤 후에 한성임정의 집정관총재 제도와 그 인선을 채용하되, 상하이에서 정부 수립 이래 실시한 행정은 그대로 효력이 있음을 인정할 것이다.
4. 정부의 명칭은 '대한민국임시정부'라 할 것이니 독립선언 이후에 각지를 원만히 대표하여 설립된 정부의 역사적 사실을 살리기 위함이다.
5. 현임 정부 각원은 일제히 퇴직하고 한성임정이 선택한 각 원들이 정부를 인계할 것이다.

안창호를 중심으로 한 상하이임정 통합 추진세력은 이 타협안을 수용해, 〈임시정부 개조안〉 〈임시헌법 개정안〉을 제3회 임시의정원 회의에 정

1919년 9월 17일 임시의정원 회의 기념사진 왼쪽부터 (앞줄) 이유필, 신익희, 윤현진, 안창호, 손정도, 정인과, 최창식, 이춘숙, (둘째 줄)차균상, (미상), (미상), 고일철, (미상), 김구, (셋째 줄) (미상), 이원익, 나용균, 김홍서, (넷째 줄 위로) 여운형, 김병조, 장붕, 왕삼덕, 황진남, 조완구, 전재순 등의 모습이 보인다.

1921년 3월 1일 대한민국임시정부의 3·1독립선언 2주년 기념식 대한민국임시정부는 전 민족의 독립항쟁인 3·1 운동을 계승한 민족 정권이다.

부안으로 제출했다. 개조안은 한성임정을 전적으로 인정한 것이었다. 상하이임정 정부 부서를 바꾸고, 각료들은 일제히 퇴임하여 한성임정 명단에 따라 새로 임명하며, '집정관총재' 명칭을 한성임정의 '대통령'으로 바꾸는 안이었다. 의회도 상하이 임시의정원과 노령임정을 통합하기로 했다.

국무총리대리 안창호는 〈임시정부 개조안〉 제안 연설에서 이렇게 말한다.

"현 상하이임정을 한성임정식으로 개조하되 단 하나 다른 것은 집정관총재만 대통령으로 그 명칭을 바꾸는 것이다. 이는 전 민족의 정치 통일을 내부와 외부에 알리고자 함이다."

개조안은 1919년 9월 6일 만장일치로 통과되었다. 드디어 한성임정, 상하이임정, 노령임정 세 임정이 하나로 통합된 것이다. 이제 대한민국임시정부는 3·1운동을 직접 계승하고 정통성을 갖춘 유일한 통합 임시정부가 되었다.

정부 구조 개조와 더불어 〈임시헌법〉도 개정되었다. 새 헌법은 상하이 임정의 〈임시헌장〉 10개조를 기초로 하되 전면 보완한 것이다. 전문과 8장 57개조를 갖춘 거의 완벽한 민주공화국 헌법이었다. 헌법 개정안도 1919년 9월 6일 통과되었다.

1919년 9월 11일 마침내 통합된 '대한민국임시정부' 성립이 선포되었다. 동시에 신헌법과 신내각도 발표되었다.

통합임정 수립의 의미

통합 대한민국임시정부(이하 임정)의 수립은 여러 의미가 있다. 전 민족의 독립항쟁인 3·1운동을 계승하여 일제에 의해 1910년 이후 9년 동안 단절되었던 한민족 정권을 다시 세운 것이다. 군주제를 폐지하고 헌법에 기초한 '민주공화제' 정부였다.

임정은 국내외 독립운동을 벌이던 여러 정파와 계보의 독립운동단체를 거의 포괄한 연합정부였다. 국외 독립운동뿐만 아니라 국내 통치권도 일부 행사했고, 일제가 패망할 때까지 독립운동을 전개했다. 독립운동에

1919년 10월 11일 대한민국임시정부 국무원 기념사진

앞줄 왼쪽부터 신익희, 안창호, 현순. 둘째 줄 왼쪽부터 김철, 윤현진, 최창식, 이춘숙이다.

1919년 10월 11일 대한민국임시정부 임직원 일동 왼쪽부터 앞줄 (미상), 현순, 최창식, 김철, 안창호, 윤현진, 이춘숙, (미상), 둘째 줄 차균상, 황진남, 유상규, 전재순, 김병조, 이원익, (미상), 이규서, 엄항섭, 김구, 셋째 줄 김여제, (미상), 박지영, 그외 (미상), 넷째 줄 (미상), 박현환, 그외 (미상), 다섯째 줄 김희준, 이유필, 도인권, 김복형, (미상)

대한 상징성만 있었던 것이 아니라 중요한 독립운동을 실질적으로 지휘했다.

임정은 일개 독립운동 단체가 아니라 한 국가의 정부로서 우리 민족의 정신적 지주이자 대표기관이었다. 일제 강점으로 고난을 겪으면서도 임정이 존재한다는 사실 자체는 매우 강력한 정신적 힘이자 독립투쟁의 동력이 되었다.

대한민국임시정부는 1919년 수립된 후 1945년까지 27년간 존속했다. 1차 세계대전 후 전 세계 여러 약소민족이 수립한 임시정부 및 망명정부나 국내 독립운동 기관과 단체들에 비하면 가장 오랫동안 존속했던 정부였다. 한때 제대로 기능하지 못할 정도로 약한 시기가 없었던 것은 아니다. 하지만 다시 강화되어 독립국가 건국을 위한 〈대한민국 건국강령〉을 1941년 11월에 제정 공포했으며, 좌·우가 연합한 연합정부로 개편하여 통일의회를 구성했다.

단둥의 교통국 이륭양행, 파란 눈의 영웅 조지 쇼

인천공항에서 상하이 푸동공항까지는 1시간 반이 걸린다. 하지만 일제강점기에는 신의주를 지나 국경을 넘은 후 단둥(예전의 안동)에서 이륭양행 배를 타고 칭다오를 거쳐 상하이로 가거나, 단둥에서 이륭양행 배를 타고 옌타이로 가서 기차로 상하이까지 가야 했다. 한성에서부터 빨리 가면 사나흘이고, 여의치 않으면 한 달이 넘게 걸렸던 길이다.

게다가 일본군 검문을 피하려면 중국인 행세를 하면서 아무 말도 하지 않아야 했다. 말이란 단기간에 체득할 수 있는 게 아니어서 의사소통이 되어도 억양이나 어투에서 금세 이방인 티가 나기 때문이다. 당시 독립운동가들은 중국 옷을 입고 위급상황이 닥치면 중국 여자 옆에서 남편인 척하거나 자는 척하면서 목숨을 건 노정을 오갔다.

이륭양행怡隆洋行이라는 선박회사의 안동현 대리점을 맡은 사람은 에이레(아일랜드의 옛 이름) 출신 조지 쇼George L. Shaw였다. 쇼의 고향 에이레도

영국의 식민통치에 대항하여 오래도록 독립운동을 했기에, 그는 우리나라 독립운동가들이 안전하게 상하이를 오갈 수 있도록 많은 편리를 봐주었다. 조지 쇼의 부인은 일본인 사이토 후미齊藤ふみ였으니, 역사의 아이러니가 아닐 수 없다.

조지 쇼 아일랜드 출신으로 선박회사 이륭양행의 안동현 대리점을 운영했다.

이륭양행은 대한민국임시정부의 위장 교통국으로, 연락처이자 군자금 조달을 담당했다. 이륭양행의 배는 수많은 독립운동가의 발이 되어 상하이로 그들을 실어 나르면서 독립의 뱃고동을 힘차게 울렸다.

지금도 단둥시에 건물이 남아 있는데, 단둥시 건강교육소 간판이 걸려 있다. 함께 한 김월배 교수는 이륭양행이 대한민국임시정부를 위하여 무척 중요한 역할을 했건만 표지석 하나 없어 무척 아쉽다고 했다.

조지 쇼는 1919년 5월 대한민국임시정부에서 연통제聯通制를 실시하려 하자, 일본영사관 경찰의 권한이 미치지 못하는 이륭양행 2층에 임시정부 안동(단둥)교통국 연락사무소를 설치하도록 도와주었다. 이륭양행 무역선은 무기 운반, 군자금 전달, 독립운동가 출입국 등 국내와 임시정부의 중요한 창구 역할을 했다.

『백범일지』에는 1919년 봄 김구가 동지 15명과 함께 상하이로 망명할 때 이륭양행 계림호 편을 이용했다고 쓰여 있다. 의친왕 이강이 망명을 시

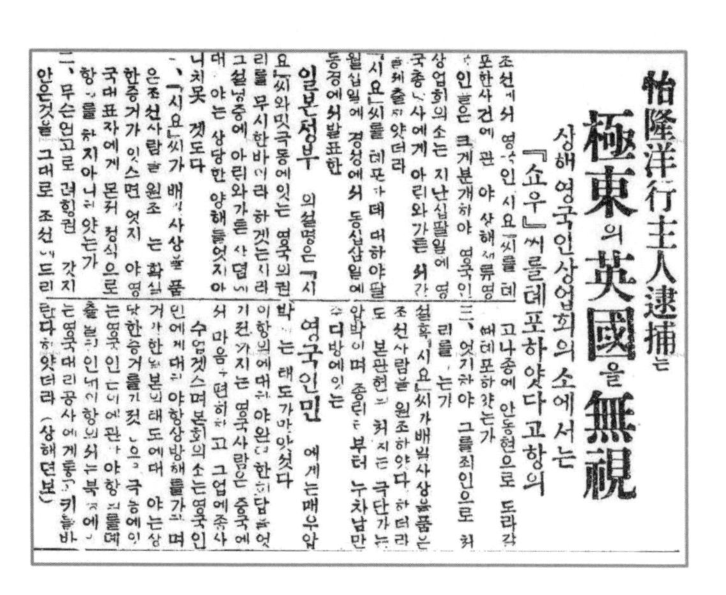

怡隆洋行主人逮捕는

極東의 英國을 無視

상해 영국인상업회의소에서는

『쇼우』씨를톄포하얏다고항의

조선에서 영국인 시요「씨를 톄포한사건에 관하야 상해재류영국인들은 크게분개하야 영국인상업회의소는 지난십팔일에 영국총령사에게 아래와가튼 서간을제출하얏더라

「시요」씨를 톄포한데 대하야 팔월십일에 경성에서 동십삼일에 동경에서발표한

일본정부 의설명은「시요」씨와밋극동에잇는 영국의권리를 무시한바이라 하겟는지라 그설명중에 아래와가튼 사뎜에대 하는 상당한 양해를엇지아니치못 겟도다

一、「시요」씨가 배일사상을 품은조선사람을 원조 는 확실한증거가 잇스면 엇지 야 영국대표자에게 몬저 정식으로 항의를 하지아니하얏는가

二、무슨연고로 려형권 갓지안은것을 그대로 조선에드리고나종에 안동현으로 도라각배데포하얏는가

三、엇지하야 그를죄인으로 취리를 하는가

설혹「시요」씨가배일사상을품은 조선사람을 원조하얏다 하더라도 본관헌의 취하는 극단가는 압박이며 종래부터 누차남만주 디방에잇는

영국인민 에게는매우압박 는 태도가아닛섯다

이항의에대하야완전한회답을엇기전까지는 영국사람은중국에서 마음편히하고 그업에종사 수업겟스며본회의소는영국인민에게대하야항상방해를가하며거가한본의태도에대하야는상당한증거를가젓는 극동에잇는영국인들에관하야항의를뎨출하는인네이항의서는북경에는영국대리공사에게통하키를바란다하얏더라 (상해뎐보)

1920년 8월 21일 <동아일보>의 이륭양행 조지 쇼 체포 기사 이륭양행은 상하이임정의 위장교통국으로 수많은 독립운동가를 실어 날랐다.

도했을 때의 거점 역시 임시정부 안동 교통국이었던 이륭양행이었다. 조지 쇼는 1920년 7월 14일 오학수吳學洙사건을 계기로 신의주에서 일본 경찰에 체포되었다. 이 사건은 영국과 일본 사이에 외교 문제로까지 비화되었고, 1924년 3월에 공소가 취소되었다.

우리 정부는 그가 외국인이지만 그의 독립운동 공적을 기려 1963년 건국훈장 독립장을 추서했다. 2012년 8월에는 조지 쇼의 유족인 손녀 마조리 허칭스Majorie Hutchings와 증손녀 레이첼 사씨Rachel Sassi를 초청해 건국훈장 독립장을 전달했다.

조지 쇼는 의열단 활동에도 적극적으로 가담한 듯하다. 미국 작가 님 웨일스Nym Wales의 『아리랑Song of Ariran』에는 항일독립투사 김산金山이 조지 쇼에 대해 이렇게 이야기한다.

"의열단은 전략적 건축물 여덟 개를 파괴하고 모든 대도시에 있는 일본인 관헌을 암살하려는 계획을 세웠다. 이 목적을 이루기 위해 그들은 폭탄 200여 개를 비밀리에 한국으로 들여왔다. 폭탄은 상하이에서 의류품 화물 상자에 넣어 중국 단둥에 있는 영국 회사 소유의 기선에 실어 보냈는데, 수신자 역시 이 영국 회사였다. 단둥의 영국 회사 지배인은 아일랜드인 테러리스트였으며, 한국인들은 그를 '샤오'라고 불렀다. 그는 일본인을 영국인만큼이나 싫어했다. 그는 큰 위험을 무릅쓰고 한국 독립운동을 열렬히 지원해 주었다. 샤오 자신이 상하이로 직접 가서 '죽음의 화물'을 선적하는 걸 감독하기도 했다. 그는 돈은 한 푼도 받지 않고 오로지 동정심으로 한국을 도운 것이다. 한국인 테러리스트들은 몇 년 동안 그의 배를 타고 움직였으며, 위험할 때는 단둥에 있는 그의 집에 숨었다.
쇼는 일본 경찰에 체포되었고, 또 직업도 잃어버렸다. 감옥에서 풀려나자 그는 상하이로 갔으며, 임시정부는 대규모 대중집회를 열어 그를 환영하였다. 쇼는 한국 독립을 위하여 이런 희생을 한 것이 자랑스럽고 기쁘다고 말했다."

임시정부 탄핵 사건

1919년 4월 11일 상하이임정 수립 당시 행정 수반 칭호는 '국무총리'였다. 이승만이 국무총리로 선출되었는데, 한성임정에서도 집정관총재로 임명되었다는 소식을 들은 이승만은 직함이 대통령President인 명함을 사용했다. 상하이임정은 안창호를 통해 이승만에게 대통령이 아닌 국무총리Prime Minister로 지명되었으니 명함을 정정해서 사용해달라고 요청했지만, 이승만은 이를 거부했다.

상하이임정 수립 후부터 내무총장으로서 국무총리를 대리하여 임정을 이끌던 안창호는 해결방안을 고심하다가 세 임정이 통합되자 정부를 개조하고 헌법을 개정하여 국무총리제를 대통령제로 바꾸었다. 대통령 직함을 합법적으로 사용할 수 있게 하려고 헌법에 따라 이승만을 대통령으로 다시 선출한 것이다. 그러자 이승만은 대통령 직함 대신 '집정관총재'를 사용하기 시작했다. 여러 속내가 있겠지만, 자신을 대통령으로 만든 안창호

1920년 12월 상하이에 도착한 이승만을 축하하는 모임 왼쪽부터 손정도, 이동녕, 이시영, 이동휘, 이승만, 안창호, 박은식, 신규식, 장붕이다. 이승만은 1921년 6월 미국으로 다시 돌아갔다.

에게 구속되지 않겠다는 정치적 의도가 숨어 있었는지도 모른다. 당시 이승만의 기호파와 안창호의 서북파는 무척 갈등이 심했다.

이승만이 다시 '집정관총재' 직함을 사용하자 임정 요인들이 반발했다. 헌법을 개정까지 해서 직함 문제를 해결했는데, 이승만이 이를 받아들이지 않자 이를 문제 삼은 것이다. 이승만은 상하이로 오지도 않고, 심지어 위임통치 건의안을 미국에 제출했다. 미국에 국제연맹의 위임을 받아 한국을 위임통치해달라는 내용이었다. 이에 신채호는 '이승만이 없는 나라도 팔아먹는다'고 비난했다. 이승만은 1920년 12월에 상하이로 왔다.

당시 상하이임정은 재정을 애국금과 인구세 수입으로 충당했으며, 애국금 비중이 더 높았다. 하와이 사탕수수농장에서 일하는 노동자들이 피땀 흘려 번 돈을 애국금으로 많이 냈는데, 구미위원부歐美委員部, Korean Commission는 이 중 13%만 상하이임정에 보냈다. 이에 대해 임정은 구미위원부의 중심인 이승만에게 항의했다.

이동휘 역시 재정 문제가 있었다. 임정은 러시아 레닌에게서 재정 지원을 받기 위해 여운형, 한형권韓亨權, 안공근安恭根 세 사람을 모스크바에 보내기로 결정했지만, 이동휘는 자기 쪽 사람인 한형권만 몰래 보냈다. 한형권은 모스크바에서 60만 루블을 받아 20만 루블은 모스크바에 보관하고, 40만 루블만 가지고 돌아와 임정에는 한 푼도 내놓지 않고 한국과 일본의 사회주의 운동 지원과 국민대표회의國民代表會議 경비로 다 써버렸다. 상하이임정이 이에 대해 항의하자, 이동휘는 레닌이 돈을 주면서 사회주의 운동에 쓰라고 해서 그 용도에 맞게 썼다고 주장했다.

또한 이동휘는 이승만에게 대통령이 상하이에 없을 때 행정 결제권을 국무총리인 자신에게 위임하라고 요구했으나, 이승만은 이를 단호히 거절했다. 그러자 이동휘는 국무총리를 사임하고 러시아로 돌아갔고, 이승만도 다음 해인 1921년 6월에 미국으로 돌아가 버리고 말았다.

이승만은 미국으로 돌아갔지만 대통령직은 그대로 갖고 있었다. 그렇다고 대통령 직무를 수행하지도 않았다. 이승만은 미국에 돌아가 동지회同志會를 조직하고, 임정은 사실상 방치했다. 이후 임정은 조직이나 재정적으로 정부를 유지할 수 없게 되었다. 특히 워싱턴군축회의에 대한 실패 책임으로 1922년 3월 신규식 내각이 총사퇴한 후부터 임정은 무정부 상태나 다름없게 되었다.

임정 인사들은 이승만에게 정부 조직을 재정비할 것을 요구하는 서한을 여러 차례 보냈다. 1924년 3월 29일, 이승만은 그 답으로 이시영에게 서한을 보냈다.

"나는 상하이에 더 믿는 이도 없고 또 구하지도 아니하며, 다만 이시영, 김구, 조소앙, 노백린으로 시국이 정돈될 때까지 함께 지켜오자는 것뿐이다."

더불어 이승만은 이동녕을 국무총리로 추천했다. 그해 5월, 이동녕을 국무총리로 한 내각이 구성되어 무정부 상태가 수습되었다.

이동녕 내각이 구성된 후, 임시의정원은 이동녕이 대통령 직무를 대리토록 하자는 논의를 했다. 1924년 6월 16일 조상섭趙尙燮을 비롯한 의원들이 "대통령 이승만이 임소를 떠난 지 실로 4년, 그 사이에 직무의 책임을 간과해서는 안 될 것이므로 이승만을 소환하되 그때까지는 대통령 사고가 있음을 공포하고 현임 국무총리 이동녕이 그 직권을 대행케 할 것"을 제의한 것이다.

이동녕은 이를 긍정적으로 받아들이고 이승만에게 이 사실을 보고했다. 그러자 이승만은 크게 분개해 이동녕을 질타하는 서한을 보냈다. (1924년 9월 5일 자)

"대통령 대리에 동의하신다니 진실로 의외입니다."
"대통령이 다른 곳에 있다고 정부 행정상 장애가 됩니까?"
"무엇을 위하여 대리를 찬동하시는지 실로 이해하기 어렵습니다."

그러자 이동녕은 국무총리직을 사퇴했다. 이후 박은식을 국무총리 겸 대통령대리로 한 새 내각이 구성되었다.

박은식 내각이 출범한 후 대통령 이승만 탄핵 문제가 구체화되었다. 대통령 불신임과 탄핵 논의는 이승만이 상하이를 떠난 후부터 임시의정원에서 꾸준히 제기되었지만 그때야 구체적으로 추진된 것이다. 최석순崔錫淳, 나창헌羅昌憲 등은 '임시대통령 이승만 탄핵안'을 제출했다. 이 탄핵안이 1925년 3월 18일 임시의정원에서 통과되었다. 후속 조치로 3월 23일에 대통령 이승만 면직안이 결의되었고, 새 대통령으로 박은식을 선출했다. 하지만 이승만은 자신이 한성임정 대통령이므로 상하이임정이 자신을 탄핵하는 것은 맞지 않는 논리라고 주장했다.

1925년 7월 7일, 임정은 헌법을 개정해 대통령제를 폐기하고 국무령제를 도입했다. 이러한 문제들이 대통령제 때문에 벌어졌다고 본 것이다. 이때부터 임정 체제는 국무령과 국무원이 국무회의의 중심이 되고, 임시의정원이 책임지는 일종의 내각책임제로 형태가 바뀌었다. 초대 국무령은 서로군정서西路軍政署에서 활동하던 이상룡李相龍이 선출되었다.

이상룡은 1925년 상하이로 부임했으나, 내각 구성에 실패하여 이듬해 2월에 사퇴했다. 그다음 국무령 후임으로 양기탁과 안창호를 선출했지만 두 사람 모두 사퇴했다. 1926년에는 홍진이 국무령에 취임하여 조각에는 성공했으나, 그해 12월에 총사퇴를 했다. 임정 수립 7년째를 맞았으나 인물난과 재정난이 겹쳐 임정은 고비를 맞게 되었다.

임시정부의 파벌 다툼과 이승만 탄핵 사태를 보고 단식으로 목숨을 끊은 사람이 바로 신규식이다. 임시정부가 주창한 외교론을 내세워 파리강화회의에 대표를 보냈으나 뜻을 이루지 못했고 이어 외교독립론까지 실패하자 대쪽 같은 성격의 신규식은 심한 우울증과 불면증에 시달렸다고 한다. 신규식은 일찍이 을사늑약 때 자결을 시도했고 1910년 경술국치가 일어나자 또 한 번 자결을 시도했는데, 때마침 그를 방문했던 나철에 의해 가까스로 구조되었다고 한다. 이후 그는 자신의 망가진 눈을 호로 삼아 '흘겨본다'는 뜻으로 '예관睨觀'으로 지었다.

신채호, 신석우, 신규식

신규식은 충청도 문의군 동면 인차리(현재 충청북도 청주시 상당구 가덕면 인차리)에서 태어났다. 신규식은 어려서부터 영민해 신채호, 신백우와 더불어 '산동삼재山東三才'라고 불렸다고 한다.

신규식은 한일병합 후 상하이로 망명해 쑨원 같은 중국인들과 인연을 맺었고, 임시정부가 상하이에 자리 잡기까지 여러 역할을 했다. 신규식은 상하이임정에서 법무총장, 국무총리대리, 외무총장을 맡았다. 하지만 이승만과 함께 외교독립론을 주장하다 1922년 아시아 태평양 지역의 워싱턴회의에도 초대받지 못했고 미국이 한국 대표단을 인정하지 않자 심한 자책감에 우울증과 불면증으로 고통받다가 일부러 곡기를 끊었다. 의형제를 맺은 동생 박찬익이 찾아와 만류해도 묵묵부답으로 대했고 결국 숨을 거두었는데, 신규식이 남긴 애국 혼이 전해진다.

한인애국단, 의열 투쟁으로 돌파구를 열다

1926년 12월, 김구가 홍진 후임으로 국무령에 취임했다. 김구는 즉시 헌법을 개정했다. 개정한 〈임시약헌〉은 임시의정원을 통과해 1927년 3월 5일에 공포되었다. 김구는 국무총리나 임시대통령, 또는 국무령 같은 자리를 없애고 집단지도체제로 바꾼 것이다. 그 후, 국무령 대신 주석제를 채택하여 이동녕이 주석을 맡았다.

그때까지도 계파 갈등으로 임정을 떠난 사람들이 많았다. 자리를 지키며 임정을 이끌었던 이동녕은 후임으로 김구를 선택했다. 김구는 침체된 임정 돌파구를 열 방법으로 의열義烈투쟁을 선택하고 한인애국단韓人愛國團을 조직했다. 야심 차게 조직한 한인애국단이었지만, 처음에는 단원이 채 열 명이 되지 않았다. 한인애국단 의열투쟁으로 1932년 1월 일왕에게 폭탄을 던진 사람은 이봉창李奉昌이었고, 그다음 윤봉길尹奉吉 의거가 이어졌다.

전시실 앞에서 한국인 관람객을 만났다.

"다른 곳은 안 가도 여긴 꼭 들릅니다. 임정 덕분에 우리가 이렇게 여행도 할 수 있으니까요."

독립운동 사적지를 보존하는 일이 얼마나 중요한가를 관람객들을 보며 새삼 느낀다.

이봉창 의사는 후손이 없어 아쉬움이 많다. 기념관을 함께 둘러본 김 교수가 말한다.

"현재 일본 신주쿠에 있는 이봉창 순국지는 찾는 사람도 별로 없어요. 그나마 유해가 반장 되어 효창공원 안중근 의사 허묘 곁에 계시니 다행입니다."

연구실 야요팅팅 부주임의 기념관 안내가 끝난 후 그와 함께 임정 구지 주변 동네를 돌아보았다. 비좁고 오밀조밀한 골목은 마치 임정 요인들이 아직 살고 있는 듯한 착각마저 들 정도다. 옛 모습이 남아 있었는데, 100여 년 전 모습 그대로라고 한다. 창문 밖으로 길게 벋은 대나무에 널어놓은 빨래들이 너울거렸다. 이 벌집 같은 낡은 집들에 일본 경찰 눈을 피해 임정 요인들이 드나드는 장면이 눈에 떠오른다.

우리는 한인애국단 단원이었던 안중근 의사의 동생 안공근 집을 찾아 나섰다. 이봉창과 윤봉길 의거를 결의하고 김구와 기념사진을 찍었던 곳도 안공근 집이었다.

빼이러루 신티엔씨양리貝勒路 新天祥里 20호. 그러나 그곳은 큰 의류매장으로 바뀌어 있었다. 허탈한 마음으로 다시 기념관으로 돌아왔다.

치엔루지에陳汝潔 상하이 대한민국임시정부구지 관리처 부주임을 만났다. 나는 그에게 한국의 독립운동 시설을 관리해주어 고맙다는 인사를 건

넸다. 그는 이렇게 자신의 바람을 이야기했다.

"한국의 독립운동 역사를 중국에 알려야 하고 임정 수립 100년을 맞아 중국 당안실 자료들도 확보해야 합니다. 한국 독립기념관과 상하이 푸단 대학과 함께 상하이 임정 수립 100년 세미나를 개최하고 싶습니다. 사단법인 매헌 윤봉길 월진회와도 교류하고 협력해 공동전시도 열면 좋겠습니다."

나는 치엔루지에 부주임에게 내가 쓴 책 『독립운동가 최재형』을 선물했다.

치엔루지에 상하이 대한민국임시정부구지 관리처 부주임과 저자

의친왕 이강, 상하이 망명을 시도하다

상하이에 대한민국임시정부가 수립된 해 11월, 의친왕 이강義親王 李堈이 상하이임정으로 망명하려다 일본 경찰에 붙잡혀 뜻을 이루지 못했다. 당시 이강이 임정에 보낸 편지가 있다.

> "나는 차라리 자유 한국의 한 백성이 될지언정, 일본정부의 친왕이 되기를 원치 않는다는 것을 우리 한인들에게 표시하고, 아울러 임시정부에 참가하여 독립운동에 몸 바치기를 원한다."

이강은 고종의 다섯째 아들이자 대한민국의 독립운동가였다. 휘는 강堈, 초명은 이평길李平吉이며 의왕, 의친왕, 의화군이라고도 부른다. 그는 일본 게이오대학을 거쳐 1900년에 미국으로 건너가 대학을 다녔다. 이강은 충남 예산 출신 문신이자 독립운동가 김가진金嘉鎭이 상하이로 망명하

의친왕 이강 중국 상하이로 망명을 시도했던 대한제국 황족이며 독립운동가

자, 그를 통해 상하이임정과 연락했다. 김가진은 당시 국무총리 안창호에게 이강의 서한을 보내 그가 상하이로 오려는 뜻을 전했다.

1919년 11월 10일, 이강은 수색역에서 입고 있던 외투를 벗어 버리고 헌 옷으로 갈아입은 후 기차 삼등석에 타고 평양역에서 내렸다. 다음날 안동(지금의 단둥)역을 향할 때 압록강 철교 위에서 순사의 검문을 받았으나 무사히 넘어갔다. 그러나 안동역에서 평안북도 검찰부 고메야마 경부에게 신분이 탄로 나고 말았다. 원래는 안동역에 도착하면 이륭양행 기선을 타고 상하이로 갈 계획이었다.

의친왕 이강은 강제로 본국에 송환되었고 이 사건으로 당시 대한제국 황족들에게 허용되었던 한반도 내 여행 자유가 사라졌다. 이강은 황족 중에서 항일투쟁에 가장 적극적이었으며, 일제의 여러 회유책에도 넘어가지 않고 끝까지 항일운동을 했다.

의친왕 이강의 유고가 다음과 같이 전한다.

> 마음이 너무 애통해서 나의 이천만 백성에게 고하노라.
> 아, 슬프도다! 이렇게 하지 않을 수 없는 소위는 하늘에 사무치고 땅속 깊이 맺힌 나의 원수를 갚으려 함이요, 내 몸의 뼈가 으스러지고 창자가 찢어질 것 같은 큰 치욕을 설분코자 할 따름이다.
> 지난해 선제(고종임금) 폐하의 밀지를 받들어 곧바로 거사(궐기)하고자 하였으

나 내 몸은 이미 위리안치가 되어 이것을 막아내지 못함으로써 선제께서 세상에 드문 흉한의 악독한 손에 시해당하셨다.

아! 이 한목숨을 보존한들 무엇을 하겠는가? 오직 스스로 죽지 못한 것이 한이 될 뿐이다. 이때를 당하여 융성한 운세를 맞는다면 나뿐만 아니라 나의 이천만 민족의 생사를 건 단 한 번의 기회를 맞는 것으로 알고 또한 감옥과 채찍이 앞뒤에서 기다리고 있음에도 불구하고 궐연히 나와 함께 궐기분발 전진하여 삼천리 강토의 기틀을 회복함으로써 이천만 겨레의 치욕을 씻고 다 함께 좋은 세상을 맞이함에 뒤처지지 말지어다.

오호, 만세!

- 건국 4252년 11월 9일 의친왕

1919년 11월 20일 자 〈독립신문獨立新聞〉에는 '의친왕의 친서' '의친왕 전하' 라는 말과 함께 이런 기사가 실렸다.

"의친왕 전하께서 상하이로 오시던 길에 안동에서 적에게 잡히셨도다. 전하 일생의 불우에 동정하고 전하의 애국적 용기를 칭송하던 국민은 전하를 적의 손에서 구하지 못함을 슬퍼하고 통분하리로다."

역사에 만약이란 말이 존재하지 않는다고 해도 이때 의친왕이 망명에 성공했다면, 임정 구성원들은 또 다른 모습이었을지도 모른다.

"영원한 쾌락을 위해 목숨을 바치겠습니다."

1931년 10월, 이봉창이 김구를 찾아왔다. 이즈음 한인애국단은 안중근의 동생 안공근이 김구를 도와 적극적으로 활동하고 있었다.

이봉창은 1900년 서울 용산에서 태어났다. 지금의 효창공원 역 근처다. 이봉창의 아버지 이진규李鎭奎는 본래 수원군에 살았으나, 그 땅이 철도 부근에 있다는 이유로 일본에게 빼앗기고 서울 용산으로 이주했다. 이봉창은 가정형편이 가난하여 열 살이 넘어서야 4년제 사립 문창소학교에 입학했다. 그러나 공부를 더 하지 못하고 일본 사람이 경영하는 제과점에서 일하게 되었다.

19세에는 용산정거장에서 기차운전 견습생으로 일했는데, 이때부터 전 가족의 생계를 책임지며 가난과 싸웠다. 24세에 이봉창은 일본 오사카로 떠났다. 그동안 일본인에게 뼈저린 굴욕을 느꼈고, 3·1운동을 직접 보면서 자극받아 큰 뜻을 품고 일본으로 향했던 것이다.

이봉창은 일본에서도 6년 동안 홀로 살았다. 한신, 도쿄, 요코하마 등을 전전하면서 일했고, 기노시타 쇼조木下昌藏, 아사야마 쇼이치朝山昌一 등의 가명을 사용했다. 그는 말이나 행동, 교우관계에서 별로 이상한 점이 없는 노동자로 일본인들에게 상당한 신용을 얻었다. 일본인의 습관과 풍속을 익혀 나중에는 일본 사람으로 행세해도 아무도 몰라볼 정도였으며, 어떤 일본인은 사위로 삼고 싶어 했을 정도였다. 하지만 이봉창은 일본 생활에 만족하지 못하고 중국 상하이로 향했다.

1931년 1월, 이봉창은 상하이에 도착했다. 여러 곳을 방황하다가 임정 통신처 주소를 알아내자 곧장 임정으로 찾아갔다.

"당신네는 독립운동을 한다면서 왜 일왕을 안 죽이오?"

이봉창은 이렇게 호기롭게 말하며 상하이임정 문을 박차고 들어왔다고 한다.

키가 훤칠하게 컸고 성격이 매우 호방했으며 일본어를 능숙하게 구사한 이봉창은 일본인처럼 말하고 행동하여 임정 사람들은 그를 의심했다. 하지만 김구는 그의 비범함을 알아채고 부근의 여관에 머물게 했다. 김구는 때때로 이봉창을 만나면서 그의 진심을 알기 위해 노력했다. 이봉창도 가끔 임정 통신처를 내왕했는데, 임정 사람들은 계속 그를 의심하며 피했다.

어느 날 김구가 마련한 술자리에서 이봉창은 취중에 일왕을 암살할 뜻이 있음을 말했다. 김구는 며칠 후 여관으로 그를 찾아가 다시 그의 진심을 확인하고 그 자리에서 일왕 암살계획을 세웠다.

마침내 김구는 이봉창에게 홍커우에 가서 거사가 준비될 때까지 일본 사람 행세를 하며 지내게 했다. 이봉창은 인쇄공장, 악기점 등에서 일하며

이봉창 "당신네들은 독립운동을 한다면서 왜 일왕을 안 죽이오?" 1931년 10월, 이봉창은 상하이임정을 찾아와 김구를 만났다. 그후 거사를 준비하면서 중국에서 지내다 12월 17일 일본으로 떠났다.

상하이임시정부가 있던 곳 프랑스조계 마당루 푸징리 4호

그곳 사람들의 신임을 얻었고, 가끔 김구를 만났다. 그때까지도 이봉창은 일본사람 같은 말과 행동으로 여전히 임정 식구들에게 의심이나 비웃음을 사면서도 전혀 개의치 않았다.

홍커우로 간 지 1년도 안 되어 이봉창은 일본 경관을 사귀고 영사관을 자유로이 드나들 정도가 되었다. 이봉창이 상하이를 떠날 때는 일본인 여러 명이 부두까지 나와 전송하기도 했다.

의거 준비에는 약 1년이 걸렸다. 김구는 자금과 폭탄을 준비했는데, 폭탄 한 개는 김홍일金弘壹을 시켜 상하이 병공창에서, 한 개는 김현金鉉을 허난성 유치劉峙에게 보내 얻었다. 하나는 일왕 폭살용이고, 하나는 이봉창 자결용이었다고 한다.

당시 김홍일은 중국군 무기 관리 책임장교로 중국식 이름은 왕웅王雄이었다. 그에 따르면, 김구는 이봉창과 거사를 약속한 뒤 가장 먼저 김홍일을 찾아와 오랜 시간 구체적인 방법과 대책을 논의했다고 한다.

김홍일은 관례로 보아 일왕이 타고 가는 마차와 군중이 늘어선 곳과의 거리가 최소한 100m 이상 될 것이라고 판단하고 폭탄의 종류를 결정했다. 구식이어서 폭발력은 약했지만, 가벼워서 멀리까지 던질 수 있고 불발탄이 없으며 휴대하기 간편한 마미麻尾수류탄으로 정했다.

12월 6일 밤, 프랑스조계 마당루 푸징리 4호 임정 사무처에서 열린 국무원회의에서 김구는 임정 요인들에게 거사계획을 보고했다. 군무장 김철과 외무장 조소앙이 경비만 낭비하고 성공할 가망이 적다고 반대했으나, 1년 동안 준비한 계획이기에 결국 승인했다.

이봉창 한인애국단 입단 선서

12월 12일 프랑스조계 중싱뤼써中興旅舍에서 김구와 이봉창은 거사에 필요한 구체적인 사항들을 최종 점검했다. 다음 날인 13일, 안공근의 집에서 이봉창은 김구에게 수류탄 2개와 거사 자금 300원을 건네받았다. 이때 이봉창은 애국단에 입단하면서 양손에 수류탄을 들고 선서했다.

> 나는 적성赤誠으로서 조국의 독립과 자유를 회복하기 위하여 한인애국단의 일원이 되어 적국의 수괴를 도륙하기로 맹세하나이다.
>
> 대한민국 13년 12월 13일 선서인 이봉창

1931년 12월 13일 이봉창과 그의 한인애국단 선서문

"나는 적성(赤誠)으로서 조국의 독립과 자유를 회복하기 위하여 한인애국단의 일원이 되어 적국의 수괴를 도륙하기로 맹세하나이다."

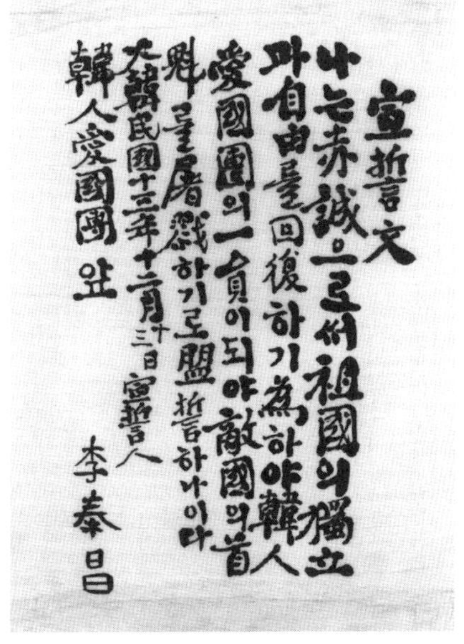

宣誓文

나는 赤誠으로써 祖國의 獨立과 自由를 回復하기 爲하야 韓人愛國團의 一員이 되야 敵國의 首魁를 屠戮하기로 盟誓하나이다

大韓民國 十三年 十二月 十三日

宣誓人 李奉昌

韓人愛國團 앞

이봉창이 선서문을 읽는 동안 안공근의 아들 안락생安樂生이 기념사진을 찍었다. 이때 이봉창이 결연하게 한마디 했다.

"제가 영원한 쾌락을 얻으러 가는 길이니, 우리 기쁜 얼굴로 사진을 찍읍시다."

홍커우로 돌아온 이봉창은 상하이를 떠나기 전, 상하이 주재 일본인 경찰서장에게서 나가사키 경찰서장에게 보내는 소개장을 받았다. 그만큼 일본인에게 호감을 얻은 것이었다. 이봉창은 12월 17일 상하이에서 출발하는 우편선 히가와마루에 일본인 삼등 선객으로 승선하여 12월 19일 오후 일본 고베에 입항했다.

그 후 도쿄에서 지내며 기회를 엿보던 이봉창은 12월 28일 〈도쿄아사히신문東京朝日新聞〉을 통해 1932년 1월 8일에 관병식이 거행되는 것을 알게 되었다. 그는 김구에게 '물품은 1월 8일 방매하겠음'이라는 암호 전문을 보내 거사계획을 알렸다. 1월 6일에는 요요기연병장에서 벌어진 예행연습을 구경하러 외출했다가 한 버스 운전사에게 관병식을 구경할 방법을 물었는데, 그에게서 '도쿄 헌병대본부 육군헌병 조장曹長 오바 젠케이大場全奎' 명함을 얻어 검문, 검색을 여러 번 피할 수 있었다고 한다.

도쿄 한복판에서 일왕에게 폭탄을 던지다

1월 8일 아침, 이봉창은 도쿄 정치의 핵심이자 정신적 중심지였던 황궁과 경시청 사이의 사쿠라다몬櫻田門 앞에서 시민인 척 서 있다가 관병식을 마치고 마차를 타고 돌아가는 일왕을 향해 폭탄을 던졌다.

그러나 거리가 너무 먼 데다 폭탄의 위력이 크지 않아 일왕을 폭살하지는 못했다. 실패한 원인은 일왕이 탄 마차를 잘못 알고 던졌기 때문이었다. 일본 경찰은 다른 사람을 범인으로 지목하였으나 이봉창은 담대하게 자신의 행위라고 나섰다. 거룩한 영웅만이 할 수 있는 행동이었다.

이봉창은 곧 체포되어 가혹한 고문을 받았다. 일제 검찰은 배후 인물이 김구임을 알고 후루타古田 검사와 가메야마龜山 검사, 경시청 특고검사 2명을 상하이로 급파해 김구를 체포하려 했다.

프랑스조계 당국은 1월 9일 아침 일찍 김구에게 비밀스럽게 통지를 보냈다. 이번 사건이 중대하여 일본 당국이 김구를 체포하여 인도하라고 요구한다면 거절할 수 없으니, 스스로 불행한 경우를 당하지 않게 하라는 내용이었다. 임정은 곧바로 프랑스조계 쥬라이다루巨賴達路의 모처로 사무처를 옮겨 김구, 조소앙, 이동녕, 조완구, 김철 등이 은거했다. 김구는 2월 25일 자 상하이 교민단 기관지 〈상하이한보上海韓報〉에 '병으로 요양 중'이라는 기사를 내고 피해 다녔다. 임정도 한때 위치를 옮겼으나 다시 제자리로 돌아왔다.

김구는 중국인 여관이나 주택가로 옮겨 다니면서 이봉창 의거의 실패 원인을 분석했다. 또 다른 거사를 준비하면서 실수를 방지하기 위해 구상했다. 2월 26일에는 김홍일을 만나 고성능 폭탄의 제작과 실험까지 부탁했다.

이봉창의 도쿄 의거에 대한 내외의 반응은 바로 신문 기사로 드러났다. 중국국민당 기관지 칭다오의 〈국민일보國民日報〉는 특호활자로 '한인 이봉창 저격 일황 불행부중韓人李奉昌狙擊日皇不幸不中'이라는 기사를 실었다가 일본 군경의 습격을 받아 신문사가 파괴되었다. 창사나 상하이 등지의 신문들도 '불행부중不幸不中' 즉, '불행 중 불행'이라는 문구(목표를 맞추지 못해 불행한 일)를 썼다가 일본의 항의로 폐간당하기도 했다.

이봉창은 체포된 후 이치가야형무소에 수감되었다. 9개월이 지나도록 예심조차 받지 못하다가 9월 30일 비공개 재판정에서 사형선고를 받았고, 10월 10일에 바로 사형이 집행되었다. 사형이 집행되던 날, 상하이에서는 김구의 지시로 전 애국단원이 단식했다. 이봉창 의사의 대의를 기념하고 조국 광복의 염원을 더욱 굳게 다지기 위해서였다.

김구, 도쿄 폭탄사건의 진상을 공개하다

다음날 김구는 '도쿄 폭탄사건의 진상'이라는 제목으로 이봉창 의거의 전모를 만천하에 공개했다. 그동안 애국단 의거에 관한 억측과 와전이 심하여 임정이나 애국단으로서는 진상을 공개할 필요가 있었기 때문이다. 또한 진상이 베일에 싸여 이봉창의 장렬한 의지와 기개까지 잊혀지는 것은 순국한 애국지사에 대한 예우가 아니었다. 중국인들 역시 의거의 진상을 알고자 했다.

이렇게 국내외에 큰 파문을 일으킨 이봉창의 도쿄 의거는 여러 가지 역사적 의미가 있다.

첫째, 중국 신문의 보도 방식에 당황한 일제는 결국 상하이사변을 일으켜 중국인의 반일감정을 불러일으켰다. 둘째, 이후부터 항일독립투쟁은

형사자위령탑 도쿄 신주쿠의 이치가야형무소 터에 있는 비석이다. 이곳에서 이봉창 의사가 순국했다.

효창원 이봉창 의사 묘 광복 후 일본에 있던 이봉창 의사 유해를 모셔왔다.

온건한 방법보다는 격렬한 투쟁이 지름길이라 보고 실천에 옮긴 것이다. 셋째, 침체에 빠진 임정의 광복 투쟁에 활기를 불어넣는 계기가 되었다. 넷째, 중국 정부가 한국 독립투사의 역량을 높이 평가하게 되어 이후 한중 간 협력과 합작, 동맹이 순조롭게 이루어지게 되었다.

서울 용산구 효창공원에는 이봉창 의사 묘가 있다. 의열사에는 영정을 모셨고, 이봉창 의사의 동상도 우뚝 서 있다. 성장현 용산구청장의 노력으로 이봉창의사 기념관도 생길 예정이다.

김월배 교수는 2019년 1월 26일 이봉창 의거 순국지인 도쿄 신주쿠의 이치가야형무소 터에 가보았다. 현재 형무소는 사라지고 주택단지로 변했다. 사형장 터로 보이는 곳에는 1963년 7월 15일 일본변호사연합회가 세운 '형사자위령탑刑死者慰靈塔' 비석만 남아 있다.

이치가야형무소는 이봉창 의사 외에도 일본 궁성 니주바시에서 일왕을 저격하려다 미수에 그친 김지섭 의사와 박열朴烈이 투옥되었던 곳이며, 박열의 아내 가네코 후미코金子文子의 순국지이기도 하다. 주변 도로는 공사가 한참 진행 중이었으니 형사자위령탑 비석도 언제 없어질지 모르겠다.

"빼가 있고 피가 있다면 조선의 투사가 되어라."

루쉰공원의 아침은 음악 소리로 시끄러웠다. 루쉰공원 표지판 아래쪽에 원홍구공원原虹口公園이라고 쓰여 있다. 옛 훙커우공원이다. 훙커우는 일본인이 붙인 이름이다. 당시 이 공원에서 만국운동회가 열렸고, 경기에 참가한 선수들이 물을 마시던 음수대가 지금도 온전하게 남아 있었다. 루쉰 묘를 이곳으로 이장한 다음에 이름이 루쉰공원으로 바뀌었다고 한다. 루쉰은 광저우에 살다 상하이로 이사 온 후, 이 공원에서 산책을 즐겼다고 한다.

공원 안으로 들어서니 많게는 몇십 명, 적게는 두세 명, 드물게는 혼자서도 우주의 기를 받아들이려는 듯 음악에 맞춰 천천히 몸을 움직이며 아침운동을 하고 있었다. 공원의 아침은 너무나 평화로웠다. 그 어디에도 100여 년 전, 빼앗긴 자와 뺏은 자 사이의 긴장감은 느낄 수 없었다.

윤봉길 의사가 거사에 성공한 곳은 어디쯤일까. 루쉰공원을 관리하는 우강 원장의 안내를 따라 거대한 훙커우축구장 앞에 있는 넓은 잔디광장

루쉰공원 우강 원장 루쉰공원은 옛 훙커우공원으로, 광저우에서 상하이로 온 루쉰이 이 공원에서 산책을 즐겼다고 한다.

윤봉길 의거 현장인 훙커우공원 잔디광장 앞에선 저자 이곳에서 윤봉길 의사의 의거가 있었다.

으로 갔다.

1932년 4월 29일, 일본은 상하이사변 승리 축하와 일왕 생일인 천장절 기념식을 이곳에서 열었다. 잔디광장이 바로 그때 기념식이 열린 운동장이라고 한다. 우강 원장은 잔디광장의 둔덕진 곳을 손으로 가리키며 천장절 행사 때 시라가와 요시노리白川義則를 비롯한 일본 요인들이 서 있던 단이 저쯤이라고 했다.

당시 천장절 기념식장에는 도시락과 물병만 가지고 들어갈 수 있었다. 스물다섯의 청년 윤봉길은 도시락처럼 생긴 폭탄과 물병으로 위장한 폭탄을 들고 기념식장에 들어갔다. 원래는 김구의 비서 이화림李華林과 부부로 위장해 들어가려 했으나 마지막에 계획이 바뀌어 혼자 들어갔다는 설도 있고, 원래부터 단독 의거라는 주장도 있다.

이때 윤봉길은 일본인처럼 보이기 위해 머리카락을 뒤로 넘겼는데, 현재 루쉰공원 매원에 있는 윤봉길 의사 생애사적전시관 영정도 그날 모습 그대로라고 한다. 이 모습을 윤봉길 의사의 영혼은 어떻게 생각할까. 스물다섯의 청년 모습과 어쩐지 어울리지 않는 헤어스타일이라 여겼는데, 일본인으로 위장했던 모습이라니 영정 사진을 이제라도 바로잡아야 하지 않을까 싶었다.

김구의 『백범일지』에는 이런 이야기가 쓰여 있다.

> "윤 군은 자기 시계를 꺼내주며 (말했다.) '이 시계는 어제 선서식 후에 선생님 말씀대로 6원을 주고 산 시계인데, 선생님 시계는 2원짜리이니 제 것과 바꿉시다. 제 시계는 앞으로 한 시간밖에는 쓸 수 없으니까요.' 하기에 나도 기념으로 윤 군의 시계를 받고 내 시계를 윤 군에게 주었다. 식장을 향하여 떠나는 윤 군은 자동차에 앉아서 그가 가진 돈을 꺼내어 내게 주었다. '왜 돈은 가져가면 어떻소?' 하고 묻는 내 말에 윤 군은 '자동차 값 주고도 5~6원은 남아요.' 할 즈음에 서서히 자동차가 움직였다. 나는 목이 멘 소리로 '후일 지하에서 만납시다.' 하였더니 윤 군은 차창으로 고개를 내밀고 나를 향하여 의미 있게 머리를 숙였다. 자동차는 크게 소리를 지르며 천하영웅 윤봉길을 싣고 홍커우공원을 향하여 달렸다."

윤봉길 1932년 4월 29일 홍커우공원에서 열린 천장절 기념식장에서 시라가와 요시노리 대장 등 일본 요인들에게 폭탄을 던졌다.

중국의 백만 대병도 불가능한 거사

윤봉길 의사는 일본 요인들이 있는 단상을 향해 물병폭탄을 던진 후 도시락폭탄으로 자결하려 했으나 일경에 잡히고 말았다. 체포된 후에는 일본의 가혹한 심문과 고문을 받았다.

윤봉길 의사의 의거가 얼마나 큰 사건이었는지 아래 신문보도를 보면 알 수 있다.

> 일본군 사령관 시라가와 요시노리 남작이 어제 낮 양수푸 핑양루에 있는 일본 육군병원에서 병사하였다. 일본총영사관은 어제 오후 1시 40분 정식으로 사망소식을 발표하였다. 그간 사망설이 끊이지 않던 시라가와가 이제 마침내 사망한 것이다. 이와 관련한 소식을 간단히 정리하여 소개한다.
>
> ▲ 폭발로 입은 상처가 고질병을 도지게 만들어
> 시라가와는 상하이사변에 동원된 일본군 사령관으로 상하이에 주재하였다. 지난 4월 29일 상하이에 거주하는 일경들이 홍커우공원에 모여 일왕의 생일인 천장절을 기념하고 있을 때 폭탄투척사건이 발생하였다. 이 사건으로 시게미쓰 공사, 노무라 함대사령관, 우에다 사단장, 무라이 총영사 등이 부상을 당하였다. 현장에 있던 시라가와도 머리와 복부에 상처를 입었으나, 당시에는 크게 문제될 것이 없어 보였다. 그러나 폭발사건으로 인해 생긴 상처가 고질병을 도지게 만들어 지난주부터 시라가와의 용태는 급격히 악화되기 시작하였다. 지금까지 12차례나 수혈을 받았던 시라가와는 고토后藤가 집도한 개복수술에 마지막 희망을 걸었다. 수술의 경과는 양호하였으나, 오로지 약물만으로 연명

해오던 연로하고 쇠약한 시라가와는 결국 회생하지 못하였다.

- 〈신보〉, 1932년 5월 29일

윤봉길은 1932년 5월 28일 상하이 파견 일본군법회의에서 사형을 선고받고 11월 18일에 일본 우편수송선 타이요마루大洋丸 편으로 고베항을 거쳐 오사카성 내에 있는 육군위수형무소로 옮겨졌다. 1932년 12월 18일에는 가나자와 육군구금소로 이감되었고, 다음 날인 12월 19일 새벽 7시 27분 일본 이시카와현 가나자와시 미쓰코지야마 서북 골짜기에서 십자가 모양의 형틀에 묶인 윤봉길은 미간에 총알을 맞고 13분 뒤에 순국했다.

시신은 아무렇게나 수습돼 가나자와 노다산 공동묘지 관리소로 가는 길 밑에 표식도 없이 매장되었다. 사형 집행 전에 미리 파놓은 2m 깊이의 구덩이에 봉분도 없이 평평하게 시신을 묻어 사람들이 밟고 지나가게 했다. 윤봉길이 일본 수뇌부에 큰 타격을 입힌 데 대한 일제 군부의 복수였다. 나중에 김구의 명령으로 박열이 윤봉길 시신을 국내로 봉환하였고, 효창원 삼의사 묘에 안장되었다.

당시 장제스蔣介石 국민당 주석은 윤봉길 의사의 의거를 극찬했다.

"중국의 백만 대병도 불가능한 거사를 한국 용사가 단행했다."

윤봉길의 홍커우 의거 이후 국민당 정부는 임정에 물질적 후원을 확대했다.

그 이전까지는 완바오산 사건으로 중국인과 한국인의 관계가 무척 좋지 않았다. 이 사건은 1931년 7월, 중국 지린성 완바오산 부근에서 중국과 한국 농민 사이에서 관개수로를 두고 벌어진 분쟁이었다. 당시 한국의 많은 농민이 일제 침탈로 토지를 잃고 중국 동북지방으로 이주했는데, 일제는 중국인을 매수해 이주한 한국인과 중국인 사이에 유혈사태가 일어나도록 만든 것이다.

이 일로 한국에 살던 중국인을 배척하는 운동이 인천, 경성, 원산, 평양 등 각지에서 일어났고, 평양에서는 대낮에 중국인 상점과 가옥을 파괴하고 중국인을 구타하고 살해하는 일이 며칠간 계속되는 등 폭동으로 확산되었다.

완바오산 사건은 만주의 중국인 민족운동 세력과 한국인 민족운동 세력의 반일공동전선 투쟁을 분열시키려는 일제의 치밀한 음모로 벌어진 것이었다. 이 일로 중국인들은 한국인을 경계하고 적대시했다.

윤봉길의 훙커우 의거는 중국인의 한국인에 대한 악감정을 없앴고, 임정의 일대 전환점이 되었다. 그 후 임정은 중일전쟁의 소용돌이 속에서 충칭에 안착하기까지 기나긴 유랑의 길을 걸어야 했지만, 광복될 때까지 국민당과 장제스의 도움을 받을 수 있었다.

윤봉길 의사 생애사적전시관

'장부출가생불환丈夫出家生不還'

장부가 집을 떠나 뜻을 이루기 전에는 살아서 돌아오지 않는다.

윤봉길이 조국 독립운동에 목숨을 바칠 뜻을 세우고 집을 떠나며 남긴

윤봉길 의거 직전의 훙커우공원 기념식 단상(위)
윤봉길 의사의 자결용 도시락 폭탄(위 오른쪽)
의거 후 단상 모습(중간)
일본 경찰에 체포된 윤봉길(아래 왼쪽)

말이다. 그의 각오를 떠올리며 윤봉길 의사 생애사적전시관으로 발길을 옮겼다. 전시관으로 들어가는 출입문 입구에 기념비가 있었다. 흰 국화 화분에 둘러싸인 비석에는 윤봉길 의사의 의거 내용이 한글과 중국어로 적혀 있었다.

기념관 1층에서는 윤봉길 의사의 상하이 훙커우공원 의거 당시 영상이 방영되고 있었다. 단상에는 상하이를 침략한 일본군 최고지휘관과 관리들이 있었다. 상하이 파견군사령관 육군대장 시라가와 요시노리白川義則, 제9사단장 육군중장 우에다植田謙吉, 제3함대사령관 해군중장 노무라野村吉三郎, 주중일본공사 시게미쓰重光葵, 상하이거류민단장 가와바타河端貞次와 총영사 무라이村井倉松 등이었다. 이들 모두 윤봉길의 폭탄세례를 받았다. 가와바타는 부상당해 병원으로 실려 갔으나 곧 사망했고, 시라가와도 한 달여 만인 5월 26일에 사망했다. 시게미쓰는 부상당해 다리를 절단했고, 노무라는 실명했다. 이렇듯 윤봉길 의거는 상하이를 침략한 일본의 군·정계 핵심 요인들을 한꺼번에 응징한 것이다.

김 교수가 좀 더 자세히 설명해주었다.

"러일전쟁에 참가했던 시라가와는 일본군 중국총대장으로 윤봉길 의사가 던진 폭탄을 맞아 즉사했다고 알려졌지만, 그때 즉사한 사람은 가와바타예요. 그는 내장이 쏟아져 바로 사망했지요. 시라가와는 병원으로 옮겨져 대수술을 10여 회 받았지만 5월 26일에 사망했습니다."

윤봉길 의거로 다리를 절단한 시게미쓰 마모루는 패전 후 미해군 전함 미주리호에 오른다. 일본 외부대신으로서 지팡이를 짚고 맥아더 앞에서 항복문서에 서명한 장본인이다. 지금도 일본 도쿄만에는 미주리호가 그대로 전시되어 있다고 한다.

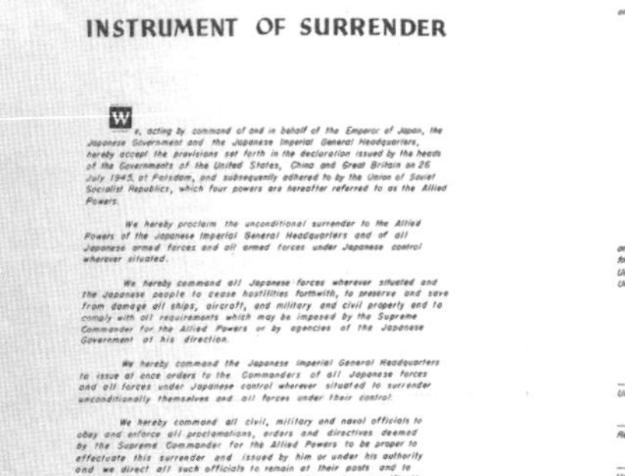

INSTRUMENT OF SURRENDER

We, acting by command of and in behalf of the Emperor of Japan, the Japanese Government and the Japanese Imperial General Headquarters, hereby accept the provisions set forth in the declaration issued by the heads of the Governments of the United States, China and Great Britain on 26 July 1945, at Potsdam, and subsequently adhered to by the Union of Soviet Socialist Republics, which four powers are hereafter referred to as the Allied Powers.

We hereby proclaim the unconditional surrender to the Allied Powers of the Japanese Imperial General Headquarters and of all Japanese armed forces and all armed forces under Japanese control wherever situated.

We hereby command all Japanese forces wherever situated and the Japanese people to cease hostilities forthwith, to preserve and save from damage all ships, aircraft, and military and civil property and to comply with all requirements which may be imposed by the Supreme Commander for the Allied Powers or by agencies of the Japanese Government at his direction.

We hereby command the Japanese Imperial General Headquarters to issue at once orders to the Commanders of all Japanese forces and all forces under Japanese control wherever situated to surrender unconditionally themselves and all forces under their control.

We hereby command all civil, military and naval officials to obey and enforce all proclamations, orders and directives deemed by the Supreme Commander for the Allied Powers to be proper to effectuate this surrender and issued by him or under his authority and we direct all such officials to remain at their posts and to continue to perform their non-combatant duties unless specifically relieved by him or under his authority.

We hereby undertake for the Emperor, the Japanese Government and their successors to carry out the provisions of the Potsdam Declaration in good faith, and to issue whatever orders and take whatever action may be required by the Supreme Commander for the Allied Powers or by any other designated representative of the Allied Powers for the purpose of giving effect to that Declaration.

We hereby command the Japanese Imperial Government and the Japanese Imperial General Headquarters at once to liberate all allied prisoners of war and civilian internees now under Japanese control and to provide for their protection, care, maintenance and immediate transportation to places as directed.

The authority of the Emperor and the Japanese Government to rule the state shall be subject to the Supreme Commander for the Allied Powers who will take such steps as he deems proper to effectuate these terms of surrender.

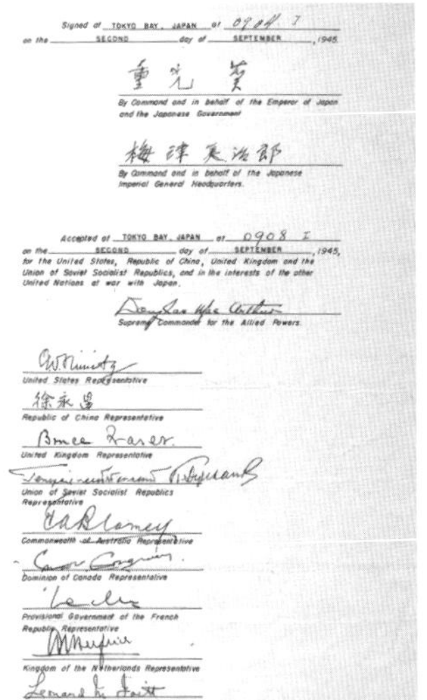

Signed at TOKYO BAY, JAPAN at 0904 I
on the SECOND day of SEPTEMBER, 1945

重光葵

By Command and in behalf of the Emperor of Japan and the Japanese Government

梅津美治郎

By Command and in behalf of the Japanese Imperial General Headquarters.

Accepted at TOKYO BAY, JAPAN at 0908 I
on the SECOND day of SEPTEMBER, 1945,
for the United States, Republic of China, United Kingdom and the Union of Soviet Socialist Republics, and in the interests of the other United Nations at war with Japan.

Supreme Commander for the Allied Powers.

United States Representative

徐永昌

Republic of China Representative

United Kingdom Representative

Union of Soviet Socialist Republics Representative

Commonwealth of Australia Representative

Dominion of Canada Representative

Provisional Government of the French Republic Representative

Kingdom of the Netherlands Representative

Dominion of New Zealand Representative

1945년 9월 2일 도쿄 해상의 미군 전함 미주리호에서 이루어진 항복문서 조인식과 항복문서 원본
윤봉길 의거로 다리를 절단한 시게미쓰 마모루가 항복문서에 서명했다.

김월배 교수는 2019년 1월 일본 외교사료관을 방문하여 당시 항복문서를 확인했다. 일본 도쿄 아자부다이에 있는 일본 외교사료관 별관 2층에 1945년 9월 2일 2차 세계대전 항복문서 원본이 있다.

1945년 8월 14일 일본은 포츠담선언을 수락했다. 27일부터 연합군의 일본 주재가 시작되었고, 30일에는 맥아더 연합국 군사령관이 아츠기시에 도착했다. 9월 2일에 도쿄 해상의 미군 전함 미주리호에서 항복문서 조인식이 이루어졌다.

항복문서에는 '일본군의 연합국에 대한 무조건 항복을 포고한다.' '일왕 및 일본국 정부의 국가 통치 권한은 연합국 최고사령부 제한 아래 둔다' 등이 명기되어 있다. 위쪽에 일본 전권 대표인 외무대신 시게미쓰 마모루와 참모총장 우메즈 요시지의 서명이 있으며, 그 아래 맥아더 사령관과 중국, 영국, 캐나다, 프랑스, 네덜란드 등 9개국 대표의 서명이 있다.

윤봉길 의거와 동북아 평화축제

루쉰공원 우강 원장은 2018년 개최한 상하이 수입무역박람회를 준비하면서 루쉰공원을 재단장했고, 3년 전에는 윤봉길 의사 생애사적전시관을 루쉰공원 호수와 연결하기 위해 다리를 놓았다고 했다.

윤봉길 의사의 결기가 담긴 문장을 소리 내어 읽으니 가슴에 거대한 파도가 일렁인다.

"사람은 왜 사느냐. 이상을 이루기 위하여 산다. 보라. 풀은 꽃을 피우고 나무

루쉰공원 매원 입구와 매정 윤봉길 의사 생애사적전시관이 있다.

는 열매를 맺는다. 나도 이상의 꽃을 피우고 열매 맺기를 다짐하였다. 우리 청년시대에는 부모의 사랑보다 형제의 사랑보다 처자의 사랑보다도 더 한층 강의剛毅한 사랑이 있는 것을 깨달았다. 나라와 겨레에 바치는 뜨거운 사랑이다. 나의 우로雨露(집)와 나의 강산과 나의 부모를 버리고라도 그 강의한 사랑을 따르기로 결심하여 이 길을 택하였다."

충남 덕산 시량리에서 태어난 윤봉길은 열일곱에 야학을 열어 농민들을 계몽하는 일에 힘쓰게 되었는데, 그 동기가 있었다.

어느 날, 순박한 농촌 청년이 공동묘지에서 묘비들을 모두 뽑아와 어느 것이 자기 아버지 묘비인지 가르쳐 달라 했다. 그 묘비들은 다시 제자리에 꽂아야 하는데 미처 그것을 생각하지 못하고 무작정 뽑아 들고 왔으니 글을 알지 못해서 벌어진 난감한 일이었다. 이를 본 윤봉길은 교육의 필요성을 절감하고 곧바로 야학을 열어 농민들에게 글을 가르쳤다.

김 교수는 이렇게 말한다.

"이러한 윤봉길의 애족정신이 곧 나라 사랑으로 커져 거국적인 일을 하게 만들었을 것입니다. 지금도 매년 4월 29일이면, 상하이 의거 동북아 평화축제가 윤봉길 의사의 고향에서 열립니다. 윤 의사의 뜻을 기념하여 일본 가나자와 암장지보존회, 중국, 몽골 등에서 평화사절들이 참가하고 있습니다."

사단법인 매헌 윤봉길 월진회와 하얼빈 안중근의사기념관이 자매결연을 맺어 독립항쟁의 의미를 더했고, 상하이임정 및 루쉰공원과도 결연을 맺어 국제적인 평화연대로 발돋움하고 있다고 한다.

김 교수가 상하이도서관에서 찾은 훙커우공원의 역사를 말해주었다.

"홍커우공원은 원래 홍커우시장이었어요. 1890년대 영국인이 관람 시설 형태로 건립했는데, 1916년에 용도를 변경하여 삼각지 시장으로 불렸어요. 지하층에는 채소, 2층에는 부식과 일상용품, 3층은 식당이었지요. 그 후 1909년 공공조계 행정당국이 축구장, 골프장, 테니스장을 만들었고, 1921년에 홍커우공원이라고 이름을 바꾸었고, 1928년 일제강점기에 일본인에게 개방되었습니다."

김 교수는 윤봉길 의사의 상하이 의거가 지금도 중국인들의 흠모 대상이라고 한다.

"현재 중국 공군 상장이자 국방대학 교수 류야저우劉亞洲 선생은 2014년 『갑오상사甲午傷思』라는 책에 이렇게 썼답니다."

> "중국에서 일본 고관을 사살한 것은 두 번이다. 한번은 안중근 의사가 이토 히로부미를 주살한 것이며, 두 번째는 윤봉길이 일본 육군대장 시라가와 요시노리를 사살한 것이다. 두 명 다 조선의 방랑 의사였다. 조선 사람이 중국 땅에서 이런 장거를 한 것은 일본인의 간담을 서늘하게 하였다. 그들이 중국 사람이라면 얼마나 좋았을까라고 나는 항상 생각한다."

만국공묘, 독립운동가들의 유해는 어디에?

다음 목적지는 독립운동가들의 묘역이 있던 곳이다. 상하이에서는 묘지를 분산墳山이라 하는데, 외국인 분산이 10개 정도 있었다. 상하이는 1951년부터 산둥로공동묘지를 황포체육관으로, 징안쓰묘지는 징안쓰공원으로, 팔선교묘지는 길안공원으로, 푸동묘지는 푸동공원으로 바꾸었다.

상하이 북단대학 손커지 교수의 책 『상하이 한국인 문화지도, 임시정부편』을 보면, 임정 주요 지도자 유해가 안장된 곳은 홍차오(비로만)만국공묘라고 나온다. 홍차오만국공묘는 당시 상하이에서 규모가 가장 큰 묘역이었다. 박은식, 노백린, 안태국安泰國 유해는 징안쓰묘지에 모셨다가 1955년 징안쓰묘지가 교외로 옮겨질 때 푸동공원묘지로 이장했다.

중국정부는 1976년부터 25개 국가의 외국인 640인의 묘를 다시 쑹칭링능원으로 이장했다. 쑹칭링능원은 상하이 지하철 10호선 쑹위안루역 2번 출구 가까이에 있다. '중화민국의 아버지'라 칭송받는 쑨원의 두 번째 부인

쑹칭링능원 한쪽에 외국인 묘지를 모아놓은 만국공묘에 임정 요인 묘역 자리가 있다. 임정 요인 중 유골이 한국으로 봉안되고 묘비만 남은 묘지도 있다.

이자 '중국 국모'로 불리는 쑹칭링宋慶齡을 추모하는 곳이 바로 쑹칭링능원이다. 공원 한쪽에 외국인 묘지를 모아놓은 '만국공묘'가 있다.

넓은 잔디밭에 네모 모양의 반듯한 돌들이 질서정연하게 깔려 있었다. 묘지를 살피던 김월배 교수가 '여기 박은식 선생이 계시네요.' 하며 반갑게 말했다. 묘비에 한국으로 봉안한 일자가 적혀 있었다. 1993년 8월 박은식, 신규식, 노백린, 안태국, 김인전金仁全 등 임정 요인 유골을 한국으로 봉안한 것이다. 봉안일자가 없는 한국인 묘비들도 많았다.

"이분들은 조국으로 봉안되진 못했어도 묘지라도 있으니 다행입니다. 1949년 2월 27일에 사망한 안중근 의사 부인 김아려金亞麗 여사와 1949년 3월 17일에 병사한 동생 안정근도, 1927년에 돌아가신 안중근 의사 모친 조마리아(조성녀趙姓女) 여사도 어디 있는지 모르죠. 안중근 의사의 막냇동생 안공근도 묘가 없습니다. 안 의사와 가족 유해를 비롯해 러시아와 중국 곳곳에 무연고 유골로 흩어져 있는 독립운동가들 무덤을 빨리 조사해야 합니다. 그것이 후손된 도리인데…."

김월배 교수가 비통해하면서 말끝을 흐렸다.

안중근의 유해를 찾아라

김 교수는 안중근 유해 찾기에 전념하고 있다.

"안 의사의 막냇동생 안공근은 1939년 충칭에서 갑자기 행방불명됐어요. 사촌동생 안명근安明根은 '105인사건' 주모자로 10년 동안 복역했지만 유해가 없죠. 만주 지린성 의란현 토룡산진 원가툰 빠후리에 묘소가 있었다는데, 지금은 지명이 많이 바뀌어 찾지 못하고 있어요. 헤이룽장성 민족사무위원회를 통해 의란현 조선족 집성촌 마을의 1930년대 상황을 조사하면 유해를 찾을 가능성도 있습니다. 작년에 의란현에 인접한 헤이룽장성 자무쓰시를 방문해 기초 조사를 했어요."

1954년에 작고한 안중근의 여동생 안성녀安姓女는 부산 용당동 천주교 묘역에 안장돼 있다. 맏아들 안문생安文生(분도)은 1911년 병사하여 조선족 집거지였던 헤이룽장성 목릉에 묻혔다고 전해질 뿐이다. 둘째 아들 안준생安俊生은 1952년 11월 부산에서 폐결핵으로 병사해 서울 혜화동 천주교공원묘지에 안장돼 있다. 심장병 전문의인 손자 안웅호安雄浩는 2013년 미국 캘리포니아에서 타계해 유해가 미국에 있는 것으로 알려져 있다. 동생 안공근의 아들 안우생安偶生은 북한 혁명열사능원 묘지에 있다고 한다. 1959년 중풍으로 별세한 안중근의 장녀 안현생安賢生은 서울 수유리 아카데미하우스에 묘지가 있다. 동생 안정근은 1949년 상하이에 묻혔는데, 지금은 유실되었다.

상하이의 상징
와이탄과 둥팡밍주

다음 목적지는 와이탄이었다. 상하이 하면 와이탄이고 둥팡밍주의 야경을 첫손가락에 꼽지만, 시간이 없어 야경을 볼 수 없었다. 중국의 근대 100년, 미래 100년을 보려면 와이탄 황푸강을 보라고도 한다. 와이탄은 프랑스와 영·미 조계지였음을 증명이라도 하듯 강변을 따라 늘어선 건물들이 거의 다 서구식이었고, 런던의 빅벤처럼 생긴 시계탑이 있는 건물도 있었다.

상하이임정 시절, 이곳은 백사장이었고 둥팡밍주가 있는 자리는 배를 대는 포구였다고 한다. 와이탄은 '바깥에 있는 모래사장'이라는 뜻이다. 둥팡밍주가 생기기 전에는 그 주변이 푸동공원이었다. 김 교수는 상하이의 유래에 관해 아주 흥미로운 이야기를 들려주었다. 한국인 중에는 상하이의 진정한 의미를 아는 사람은 거의 없다는 것이다.

상하이는 '물 위에 있는 곳'이란 뜻으로, 중국 발전의 상징이자 근대화의 중심이다. 그러나 상하이란 영어 단어에는 비밀이 담겨 있다. 영단어

상하이의 상징인 와이탄과 둥팡밍주

'shanghai'는 '폭력, 마약, 술 같은 억지 수단으로 사람을 배에 끌고 가서 선원으로 만들다.'라는 뜻이 있다. 이는 1840년경, 상하이에 대한 유럽인의 생각을 보여준다. 유럽 선박들은 성으로 둘러싸인 작은 어촌 상하이에 사는 사람들을 유혹하여 배에 태운 다음, 선원으로 강제 고용한 사실이 지명에 숨어 있는 것이다.

그날 저녁 만찬 자리에서 전 상하이역사문화연구소 상하이 향토역사학자인 설리홍 선생에게 물었다.

"만국공묘에 묻혔던 무연고 유골은 현재 어디에 묻혀 있습니까?"

설리홍 선생의 대답이 알쏭달쏭했다.

"분명하지는 않지만, 둥팡밍주를 받친 네 다리 중 한 곳에 묻었다는 설이 있습니다. 명확하지는 않아요."

설리홍 박사의 말을 알 것 같았다. 푸동공원에 외국인묘지가 있었고 바로 그곳에 1995년 둥팡밍주를 세웠으니, 미처 수습하지 못한 무연고 유골들이 그대로 묻혀 있을 수 있다는 말이 아닐까. 내게는 와이탄에서 바라본 웅장하고 아름다운 둥팡밍주 대신 상하이 구천을 떠도는 독립운동가들의 모습이 어른거렸다.

전 상하이역사문화연구소 상하이 향토역사학자인 설리홍(오른쪽)과 김월배 교수(왼쪽)

3

임정과 김구의 피난 시절

중국 자싱과 항저우 | 1932년 5월~1935년 11월

'현상금 58억' 김구를 잡아라!

상하이 훙차오역은 이른 아침부터 많은 사람으로 붐볐다. 우리는 저장성 자싱으로 가는 고속철에 올랐다. 자싱남역까지는 40분이 걸렸다. 그곳에서 버스를 탔더니 금세 메이완가에 도착했다.

우선 아침 식사를 하기 위해 주변을 살폈다. 가까운 곳에 재래시장이 보였다. 구경도 할 겸 시장으로 들어섰다. 김 교수가 여행 중에는 잘 먹어둬야 한다며 만둣집으로 안내했다. 먹음직스러워 보였는데, 역시 무척 느끼했다. 도저히 더 먹을 수가 없어 옆 가게에서 파는 과일로 아침을 대신했다. 너무 이른 시간이라 천천히 걸어서 메이완가를 찾아갔다.

저장성 자싱시 메이완가 76호. '김구 피난처金九避難處'이다. '임시정부 피난처'가 아닌 '김구 피난처'.

상하이 주재 일본영사관 경찰부는 윤봉길 의거가 발생한 바로 다음 날, 프랑스조계의 대한교민단 임정 사무소를 급습해 모든 문서와 물품을 탈

김구 피난처 표지석 저장성 자싱시 메이완가 76호로, 윤봉길 의거 이후 김구가 피신해 있던 곳이다.

취했다. 당시 신문기사를 보면 윤봉길 의거 후 임정이 얼마나 위급상황이었는지 알 수 있다.

> 안창호가 체포되었다는 소식이 전해진 뒤 프랑스조계 내에 거주하는 한국 교민(한교)들은 모두 공황 상태에 빠져 불안한 기색이 역력하였다. 예상대로 어제 새벽 2시 30분경 프랑스조계 당국의 협조를 얻은 일본영사관은 사복경찰 수십 명을 차량 12대에 나눠 태우고 대대적으로 한인 검거에 나섰다. 새벽 4시까지 계속된 검거 작업으로 마랑루 신민춘 446호 회이셩의원에서 김 씨 성을 가진 한인 1명, 라파예트루(현재 푸싱중루) 388호에서 2명을 체포했다. 이 가운데 한 명은 금년 22세인 박제건樸濟建으로 그는 현재 영미전차회사 79호 검표원으로 근무하고 있다. 또 다른 사람은 17세인 박제건의 동생이다.
>
> 이상 두 곳 외에도 샤페이루 푸칭리 65호에서 성씨 미상의 한인 4명, 마당루

푸징리 8호에서 금년 28세의 장전근張全瑾이 체포되었다. 체포 당시 장전근은 전혀 당황한 기색이 없었으며, 말투도 평소와 다름이 없었다. 그는 사태가 이 지경에 이르렀으니 굳이 저항할 필요도 없으며, 전체 한국 동포와 조국을 위해 한 점 부끄러움이 없노라고 의연한 태도를 보였다. 이외에도 대포교 신리와 다른 지역에서도 다수의 한인이 체포되었다. 어제저녁까지 체포된 한인은 총 17명으로 밝혀졌는데, 이들은 모두 심문을 위해 일본헌병대사령부로 압송되었다. 현재 프랑스조계 내에 거주하는 한교는 약 1만 명에 달하는 것으로 알려지고 있다. 이번 폭탄투척사건이 발생한 뒤 일본 경찰의 대대적인 검색이 이어지자 지금 한교들은 생명의 안전을 보장받지 못하게 되었다며 큰 불안에 떨고 있다.

- 〈신보〉, 1932년 5월 1일

윤봉길 의거를 밝힌 김구 공개서한

프랑스조계도 안전하지 못했다. 김구는 의거 9일 후인 5월 8일에 한인애국단이 자신의 손으로 조직한 단체이며, 단원들은 모두 애국지사라고 밝혔다. 그는 윤봉길 의거의 진상을 밝히기 위해 〈신보〉에 공개서한을 보냈다.

김구 공개서한 〈훙커우공원 폭탄투척사건의 진상〉

훙커우공원 폭탄투척사건을 빌미로 일본 당국은 한인 독립운동가를 일망타진하려는 의도로 이번 사건을 여러 한인 단체와 연결시키려 하지만 여전히 진상을 제대로 파악하지 못하고 있다. 이번 사건에 연루된 혐의로 상하이에 거주하는 무고한 한인들이 아무 영문도 모르고, 아무런 증거도 없이 일본 당국에 체포되었다. 그러나 이번에 체포된 한인들은 모두 이번 사건과 관련이 없다. 특별한 임무를 수행하기 위해 상하이를 떠나기 전 나는 인도와 정의의 입장에서 이번 사건의 진상을 세상에 밝히려고 한다. 우리 동지들은 일본침략정책을 타도하는 공작을 계속 진행해 주기를 희망한다.

계획과 실행

일본제국주의는 무력으로 한국을 병탄하였고, 무력으로 중국 동삼성을 약탈하였다. 이것도 모자라 선전포고도 없이 기습적으로 상하이사변을 일으키기에 이르렀다. 일본의 거동은 동아시아와 세계평화를 해치는 침략행위이다. 이에 나는 세계평화를 위해하는 침략세력을 제거하고 인도주의를 실현시키기 위해 일련의 거사를 계획하였다. 그 첫 번째 행동으로 도쿄에 파견된 이봉창 군이 1월 8일 일왕을 제거하려다 실패하였다. 일본 군벌 수뇌부들을 제거하기 위해 나는 4월 29일 재차 윤봉길 군을 훙커우공원에 보냈다. 이제 이번 사건의 진상을 낱낱이 밝히고자 하나 도쿄사건에 대해서는 후일 다시 언급할 기회가 있을 것이다.

4월 29일 새벽, 내가 조직한 청년애국단 단원인 윤봉길을 불러 특수 제작한 폭탄 두 개를 건네주었다. 하나는 우리의 원수인 일본군벌을 제거하라는 것이었다. 폭탄을 건네면서 나는 다른 나라 사람들에 피해가 가지 않도록 조심할 것을 당부하였다. 설사 일본인들이라 할지라도 무고한 민간인은 다치지 않도록 재삼 당부하였다. 또 다른 폭탄은 첫 번째 폭탄을 투척한 뒤 자살용으로 건넨 것이었다. 윤 군은 태연하게 폭탄을 건네받았고, 우리는 뜨거운 눈물을 흘리

이것은 英文으로 發布한 것보다 詳細한 것이오

K. P. P.

虹口公園爆彈案의 眞狀

奇異한 두 사람

[illegible]

虹口公園은 修羅場

[illegible]

問題의 靑年

[illegible]

貪實한 尹義士

[illegible]

愛國團의 一員

[illegible]

愛國團은 어떠한 團體인가

[illegible]

愛國團의 首領은 누구냐

[illegible]

윤봉길 의거의 전모를 밝힌 김구의 공개 서한

제목은 '홍커우공원 폭탄투척사건의 진상'

며 내세에서 다시 만날 것을 약속하고 작별의 악수를 나누었다. 나는 자동차 한 대를 세내어 윤 군을 훙커우공원으로 보냈다. 폭탄 2개와 대양大洋 4원만 가지고 거사 장소로 떠나는 윤군을 배웅하며 나는 마음속으로 거사가 성공하기를 빌었다.

윤봉길이 의거에 사용한 특수 폭탄을 제작한 김홍일과 중국인 향차도 김홍일은 중국군 무기 관리 책임장교로 중국식 이름은 왕웅이다.

윤봉길 약력

1908년생인 윤봉길 군의 부모님은 아직도 건재하시다. 부인과 어린 두 자녀를 둔 윤 군은 어려서부터 신동이라는 소리를 들을 정도로 총명함이 남달랐다. 17세에 야학을 열고 5년 동안 빈농의 자제들을 가르쳤다. 일본인들의 경제적, 정치적 침략으로 동포들이 착취당하고 설움 받는 것을 볼 때마다 복수의 칼날을 갈던 윤봉길은 이를 실행하기 위해 집을 떠났다. 원래 상하이를 목표로 했던 윤 군은 여러 이유로 중도에 한동안 칭다오에 머물게 되었다. 칭다오에서 지내는 동안 윤 군은 일본인이 운영하는 세탁소에서 점원으로 일하였다. 여비에 충분할 만큼 돈을 모은 윤 군은 마침내 지난해 8월 상하이에 도착하여 모 공장 직공으로 취직하였다. 그러나 직원 대우가 너무 각박하자 공장을 그만둔 윤 군은 훙커우시장에 조그만 가게를 열고 기회를 노렸다. 여러 경로를 통해 비로소 나와 접촉한 윤 군은 조국을 위해 자신이 할 수 있는 일이 무엇인가를 고민하다가 마침내 한인애국단에 가입하였다.

宣誓文

나는 赤誠으로써 祖國의 獨立과 自由를 回復하기 爲하야 韓人愛國團의 一員이 되야 中國을 侵略하는 敵의 將校를 屠戮하기로 盟誓하나이다

大韓民國 十四年 四月 二十六日 宣誓人 尹奉吉

韓人愛國團 앞

의거 전 한인애국단 가입 선서문과 폭탄을 든 윤봉길

“나라와 겨레에 바치는 뜨거운 사랑이다. 나의 우로(雨露)와 나의 강산과 나의 부모를 버리고라도 그 강의한 사랑을 따르기로 결심하여 이 길을 택하였다.”

한인애국단

한인애국단은 전적으로 내 손에 의해 조직된 단체로 단원들은 모두 애국지사들이다. 애국단을 조직한 목적은 무력으로 빼앗긴 조국을 무력으로 되찾기 위해서이다. 따라서 조국을 위해 자신을 희생할 준비가 되어 있는 사람만이 단원이 될 수 있다. 대원에게 어떤 임무를 맡겨 어디에 파견할지, 누구에게 대원으로서의 자격을 인정할지는 모두 나 한 사람에 의해 결정된다. 고로 같은 한인애국단원이라도 다른 단원의 이름을 모르는 경우가 태반이다. 한인애국단은 회의 등 공개적인 절차를 거쳐 혁명사업 전개방침을 논의하는 기관이 아니라 철저한 비밀조직이다. 적의 수령을 암살하거나 적들의 행정기관 등을 파괴하는 것을 한국독립을 위한 혁명적 수단으로 삼고 있다. 우리는 시라가와가 지휘하는 대규모 군대와 결전을 벌일 만한 병력이나 재력을 갖고 있지 않다. 오직 조국광복을 위해 자신을 희생할 열정을 가진 대원을 훈련시켜 맨주먹으로 삼엄한 일본군의 경계망을 뚫고 적의 심장부에 침투하여 적들을 제거할 뿐이다.

나는 누구인가?

이 글을 쓴 자는 누구인가? 내 이름은 김구이다. 일본군들이 체포에 혈안이 되어 있는 바로 그 김구이다. 금년 57세인 나는 이미 내 생명을 구국과 독립을 위해 바치기로 약속한 사람이다. 21세 때인 1896년부터 나는 조국과 민족을 위해 모험적 활동을 개시하였다. 당시 우리나라는 비록 사실상 독립국이었지만 일본군은 이미 경성에 주둔하고 있었다. 일본군이 궁중에 난입하여 황후를 시해하는 사건이 발생하고, 이로 인하여 전국이 커다란 충격에 빠졌다. 이때부터 나는 비밀리에 복수를 위한 행동을 준비하기 시작하였다.

나의 일본인들을 향한 복수의 첫 번째 행동은 황해도 안악에서 거행되었다. 내

김구 "나는 이미 내 생명을 구국과 독립을 위해 바치기로 약속한 사람이다."

손으로 일본육군장교 스치다土田를 살해한 것이 그것이다. 거사 후 내 손으로 적 장교를 살해한 이유와 내 신상을 적은 장문의 글을 주변에 뿌려 나는 일본 당국에 체포되었다. 체포된 지 20일 후 나는 제물포감옥으로 압송되어 법정에 서게 되었다. 당시 일본공사 하야시 곤스케林权助의 개입으로 나는 사형을 선고받았다. 내가 감옥에 갇힌 지 3년이 지난 뒤 나라 사정은 갈수록 어려워져 간신히 명맥만 유지할 수 있을 뿐이었다. 세상이 뒤숭숭한 기회를 이용하여 탈옥한 나는 스님으로 위장하고 경성에서 멀리 떨어진 절에 몸을 숨겼다. 이후 나는 1년간 전국 각지를 돌아다니면서 조국을 위한 새로운 운동계획을 세우고 먼저 그 기초를 닦기 위한 준비작업에 착수하였다.

1909년 안중근이 하얼빈에서 이토 히로부미를 암살한 사건이 발생하자 일본 경찰은 이 사건에 연루되었다는 혐의로 나를 체포하였으나 곧 석방하였다. 이후 한동안 황해도 안악군에서 교직에 종사하던 나는 1911년 당시 조선총독 데라우치寺内 암살미수사건에 연루된 혐의로 다시 체포되었다. 당시 15년형을 선고받았지만 감형으로 5년 만에 석방되었다. 나는 오랫동안 가명을 사용했기에 다행히 적들은 내 진짜 신분을 알지 못하였다. 이때 내 신분이 밝혀졌다면 지금의 나는 없었을 것이다.

1919년 한국에서는 전국의 모든 동포가 참가한 대대적인 독립운동이 전개되었다. 이무렵 생명의 위협을 느낀 나는 결국 조국을 떠나 중국으로 활동무대를 옮기게 되었다. 중국에 첫발을 디딘 순간부터 지금까지 단 한순간도 나는 조국을 위한 투쟁을 게을리 하지 않았다. 지금 우리가 가진 무기라야 권총 몇 자루와 폭탄 몇 개에 불과하다. 비록 미력하지만 나는 한국이 독립을 이루는 그날까지 결코 투쟁을 멈추지 않을 것이다.

쑤즈랑 상하이사범대 교수는 사건 발생 후 윤봉길 의거 기획자 김구의 공개서한을 보도하면서 의거를 실행한 윤봉길의 약력도 소개했다.

윤봉길은 중국인의 마음속 깊이 자리 잡았으며, 윤봉길의 희생정신은 중국과 한국인들을 고무시켰고 장기간의 분투를 거쳐 항일 승리라는 기적을 함께 창조했다.

일본은 김구에게 현상금을 내걸었다. 처음엔 20만 위안을 걸었다가 두 번째는 일본외무성 20만 원, 조선총독부 20만 원, 상하이주둔사령부 20만 원을 합해 총 60만 위안으로 올렸다. 1930년대 1위안이 현재 약 60위안이니 한화로 약 58억 원인 셈이다. 엄청난 거금이었다.

주푸청과
조지 애시모어 피치의
미·중 합작 비밀 작전

상하이에서 자싱으로 김구를 피난시킨 사람은 미국인 조지 애시모어 피치George A. Fitch 부부였다. 장로교 목사인 피치는 1909년 중국 상하이에 와서 YMCA에서 활동하며 찰스 크레인 주중 미국대사에게 여운형을 소개했고, 한국 독립운동가를 위한 회합 장소도 제공했다. 피치의 부친은 장로교 선교사로 한국 독립운동가들을 지원했다.

아버지의 영향을 받은 피치는 윤봉길 의거 후 프랑스조계 지역의 언론과 경찰에 일본 경찰의 한국인 불법체포와 검문에 항의하는 서한을 보냈다. 그는 1937년 일제의 난징대학살 때 난징 외국인들과 국제위원회를 조직하여 일본의 만행을 세계만방에 고발했다. 1940년대는 중국 국민당 정부가 임정을 승인하도록 도왔다.

피치는 윤봉길 의거 이후 김구, 엄항섭嚴恒燮, 안공근, 김철을 자신의 집 2층에 숨겨주었다. 김구는 이곳에서 약 20일간 지냈다. 이후 일본 경찰에

1935년 윤봉길 의거 후 자싱으로 피난한 임정 요인들 왼쪽부터 김구, 주푸청의 수양아들 첸둥성, 이동녕, 엄항섭

노출되자 피치는 부인 제랄딘과 김구를 부부로 위장시켜 차에 태우고 자신이 직접 운전해 쉬자후이 기차역에 데려다주었다.

자싱 출신 주푸청褚輔成은 자싱에 사는 장남 주펑장褚鳳章에게 김구를 보냈다. 주푸청은 상하이 항일구원회 회장, 상하이 법과대학 총장 등을 지낸 애국인사였다. 주펑장은 자싱의 오룡교 남쪽 수륜사 공장에 김구를 숨겨주었다. 피치와 주푸청은 미·중 합작 릴레이처럼 상하이에서 김구를 탈출시킨 것이다. 당시 미·중 두 나라 시민이 김구를 도왔다는 사실은 무척

당시 저장성 정부 주석이었던 주푸청 흉상

인상적이다.

자싱에는 이미 이동녕과 엄항섭 등 임정 요인들이 먼저 와 있었다. 이들은 지금의 르후이교日暉橋 17번지에서 지냈고, 수륜사 공장에 머물던 김구는 거기서 100m 정도 떨어진, 주푸청의 수양아들 첸둥성陳桐生의 별채 메이완가 76호로 옮겼다. 그곳에서 김구는 '광둥사람 장 씨(장진구)' 행세를 하며 지냈다. 당시 자싱 사람들이 광둥어를 잘 알아듣지 못했기 때문이다.

왕미나王咪娜 해설사가 김구 피난처에서 작은 문을 열었다.

"이 문은 김구 선생이 호수로 드나들던 비밀통로입니다."

비좁은 계단이 2층으로 이어져 있었다.

일본 경찰이 김구 피난처를 급습하자 주푸청은 며느리의 친정인 하이옌으로 김구를 피신시킨다. 김구는 하이옌에서 반년을 보냈으나 다시 경찰에 자신의 신분이 드러나자 자싱으로 돌아왔다.

메이완가의 김구 피난처 별장과 난후南湖의 풍경은 한가롭기만 했다. 김구는 위험이 닥치면 비밀통로로 나와 배를 타고 호수로 나갔다. 쫓기는 신분이 아니었다면 참으로 평화로운 풍경이었을 듯하다. 게다가 신분을 위장하기 위해 주아이바오와 가짜 부부로 살았던 수상생활은 한편으로는 아슬아슬했고 다른 한편으로는 낭만적인 정취가 물씬 풍기는 삶이었다.

김구와 주아이바오의 가짜 부부생활

1933년 김구는 광둥 사람 행세를 했지만, 중국말이 서툴러 아슬아슬할 때가 많았다. 중국인으로 완벽하게 위장할 방법을 찾던 김구에게 주펑장은 중국 여인과 결혼하는 게 어떻겠냐고 제안했다. 상대는 서른 살쯤 된 과부로 중학교 선생이었다. 김구는 글을 알고 똑똑한 여자라면 자기 신분이 노출될 것이라면서 사양했다. 그러자 글을 전혀 모르는 처녀 뱃사공 주아이바오朱愛寶를 소개해 주었다.

주아이바오와 김구의 나이 차는 무려 37살이나 되었다. 백범의 나이 57세, 주아이바오는 20세였다. 김구는 9년 전에 아내 최준례崔遵禮를 잃고 혼자 살아왔다. 김구와 주아이바오의 선상 동거가 시작되었다. 주푸청은 일경이 순찰을 돌 때마다 우평촨이라는 배를 타고 덮개를 닫은 채 지내라고 했다.

지상에서는 항상 불안한 생활이었으니 그나마 주아이바오와 난후 위에

일경의 눈을 피해 지내던 나룻배 우평촨과 난후
오른쪽 아래는 김구와 가짜 부부였던 뱃사공 주아이바오

떠 있는 우평촨 안에서 지낼 때만큼은 잠시 평안했다. 김구는 『백범일지』에서 그 무렵의 생활을 이렇게 기록했다.

"오늘은 남문 밖 호숫가에서 자고, 내일은 북문 밖 운하에서 잤다. 아름다운 자연 호수 남북호는 지난 14년 동안 산수山水의 주림이 십수 일 동안에 포만되게 해주었다."

김구는 상하이임정 시절의 긴장을 놓고 잠깐이지만 세월 가는 것을 잊고 산에 올라가 놀고 물도 구경하며 농민들의 생활을 살펴보며 한가한 순간을 즐겼다고 한다.

이듬해 2월, 김구는 자싱을 떠나 난징으로 돌아왔다. 난징에서도 일제가 김구에게 암살대를 보냈다는 소문이 자자했다. 김구는 화이칭교淮淸橋에 집을 얻은 다음 주아이바오를 난징으로 데려와 광둥 출신 골동품상 부부로 위장해 피난 생활을 계속했다.

난징이 일본에 함락되자 김구는 후난성 창사로 가면서 주아이바오를 잠시 자싱으로 돌려보냈다. 두 사람은 그 후 다시는 만나지 못했다. 난리 통에 벌어진 '가짜 부부'의 안타까운 이별이었다. 중국인 작가 샤녠성夏輦生은 김구와 주아이바오의 피난 생활을 소설 『선월船月』에서 소개했다.

김구,
장제스에게
군인 양성을 요청하다

1933년 5월, 김구는 안공근, 엄항섭과 함께 난징으로 가 장제스를 만났다. 이 만남은 박찬익朴贊翊, 엄항섭, 안공근의 노력으로 이루어졌다. 박찬익은 난징 중국 국민당 당원으로 중앙당 요인과 인맥이 있었다. 그는 장쑤성 주석인 천궈푸陳果夫를 통해 장제스를 만날 수 있게 한 것이다. 『백범일지』는 당시의 필담 장면을 자세하게 묘사한다.

"천궈후의 자동차를 타고 중앙군교 내 장 장군 저택으로 갔다. 장 씨는 중국옷을 입고 온화한 안색으로 나를 맞이하였다. 피차 날씨 인사를 마친 뒤 장 씨는 간단한 어조로 말하였다.

"동방 각 민족은 쑨중산 선생의 삼민주의三民主義에 부합되는 민주정치를 하는 것이 마땅할 듯하오."

"그렇습니다. 일본의 마수가 시시각각 중국 대륙으로 침입하니 좌우를 물리쳐

주시면 필담筆談으로 몇 마디 올리겠습니다."

"좋소."

천궈후와 박찬익이 문밖으로 나간 뒤 장 씨가 친히 붓과 벼루를 가져다주었다.

내가 물었다.

"선생이 백만 원의 돈을 허락하면 2년 이내 일본, 조선, 만주 세 방면에서 대폭동을 일으켜 대륙 침략을 위한 일본의 교량을 파괴할 터이니 선생의 생각은 어떠하오?"

그러자 장 씨는 붓을 들어 이렇게 썼다.

"서면으로 계획을 상세하게 작성해 주시오."

나는 '그러겠다' 하고 물러 나왔다.

다음 날 간략한 계획을 작성하여 보냈다. 그랬더니 천궈후가 나를 초청하여 자기 별장에서 연회를 베풀고 장 씨를 대신하여 말했다.

"특무공작으로 천황을 죽이면 천황이 또 있고 대장을 죽이면 대장이 또 있지 않소? 장래 독립하려면 군인을 양성해야 하지 않겠소?"

그래서 내가 대답했다.

"감히 부탁할 수 없었으나 그것은 진실로 바라는 바요. 문제는 장소와 재력이오."

그즈음 대일전선 통일동맹과 관련하여 임정 인사들 사이의 갈등이 적지 않았다. 실망스러운 일이었지만, 백범과 이동녕은 계속 자싱에 머물면서 임정 내부의 통합을 위해 노력했다.

장제스를 만난 김구는 중국 제의를 받아들여 중국 중앙육군군관학교 낙양분교에 한인특별반을 설치했다. 우선 1기에 군관 100여 명씩을 양성하기로 결의했다. 김구는 우수한 한국 청년들을 규합하기 위해 동북에서 활동하던 이청천李青天(지청천池青天이 본명)과 손잡고 중국 동북과 한국 국내에서 청년들을 모집했다.

1934년 2월, 청년 92명으로 낙양분교 한인특별반이 정식으로 개교했다. 이 한인특별반은 1년 뒤 62명을 졸업시켰지만, 이를 눈치챈 일본이 중국에 강력한 압력을 가해 폐쇄되고 말았다.

김구 피난처를 돌아보고 임정 식구들이 살았던 르후이교로 갔다.

"메이완가와 르후이교는 걸어서 5분 거리예요. 임정 가족들에게도 김구 선생의 거처는 비밀이었대요."

해설사의 말에 김구의 생사를 건 도피 생활의 긴장감이 느껴졌다.

1935년 11월, 김구와 이동녕 등 임정 요인들은 의정원 비상회의를 소집했다. 이 회의에서 김구와 이동녕, 조완구를 국무위원으로 보선하여 무정부 상태의 임정을 재정비했다. 자싱 난후에 놀잇배 한 척을 띄우고 그 위에서 한 회의였다. 임정은 항저우로 청사를 옮긴 다음에는 일제의 시선을 피해 이런 형식의 회의를 여러 차례 열었다.

자싱 난후는 일찍이 마오쩌둥毛澤東을 비롯한 전국 각지의 공산당 대표 13인이 놀잇배를 띄우고 그 위에서 중국공산당 성립을 선언한 곳이다. 1921년, 상하이에서 열린 중국공산당 제1차 전국대표대회 마지막 날, 밀정과 프랑스군이 급습하여 회의가 무산되자 대표들이 이곳에 모여 회의를 연 것이다.

1989년 여름 김구의 아들 김신金信은 자싱을 방문해 김구 피난처를 확인했다. 1999년에는 김신의 주선으로 자싱시와 한국 강릉시가 자매도시를 맺었다.

"상하이의 정원은 싫다. 중국의 정원이고 싶다."

오전에 자싱 메이완가와 르후이교를 돌아보고 항저우에 도착하니 유명한 시후 호수에 어느새 저녁 안개가 피어오르기 시작했다. 호텔에 짐을 놔두고 시후로 향했다. 거대한 호수를 끼고 차밭이 능선을 따라 펼쳐져 있어 무척 아름다웠다. 큰 규모의 차 박물관도 있었다.

우선 차밭 사이를 걸었다. 차나무 꽃이 만발해 차향이 물씬 풍겼다. 모든 생명체는 환경이 열악해지면 종족 보존을 위해 애쓴다. 차밭의 차나무들도 환경이 좋은 곳에선 진초록 잎들이 무성하지만, 시들시들하고 상태가 나쁜 차나무는 온통 하얀 꽃을 피운다.

이튿날 아침, 대한민국 임시정부 항저우구지기념관이 문을 열기 전에 다시 시후로 산책하러 갔다. 아침 물안개가 서서히 걷히는 시후는 무척 아름다웠다.

항저우구지기념관이 있는 호변로 주변 건물은 새로 단장한 듯 깨끗했다. 항저우임시정부구지 유적지는 창성루 후비엔춘長生路 湖邊村 23호. 2002년에 항저우 시정부에서 재건하여 2007년에 개관했다고 한다. 항저우는 임시의정원이 약 3년여 동안 지내면서 임정 체제를 재정비한 곳이다.

항저우 임시의정원 유적지를 찾았다. 추이란崔蘭 부관장과 인사를 나누었다.

“아름다운 항저우에 오신 걸 환영합니다. 중국인들은 쑤저우에서 태어나 항저우에서 살다가 광저우에서 먹고 류저우에서 죽는 게 소원이라는 말이 있습니다.”

그는 장쑤성 쑤저우는 본디 미인이 많기로 유명한 곳이라 쑤저우에서 태어나면 인물이 빼어나고 옷감도 풍부해서 태어날 때 좋고, 저장성 항저우는 풍경이 수려한 곳이라 삶을 즐길 만한 곳이고, 광저우는 열대과일뿐만 아니라 음식이 풍부해서 먹을 게 많고, 류저우는 큰 나무가 많아 좋은 관을 짤 수 있으니 죽어서 좋다고 설명한다.

덧붙여 상하이 사람들은 항저우를 상하이의 후원이라고 하는데, 항저우 사람들은 그 말을 제일 싫어한다고 웃으며 말했다.

항저우임시정부구지 유적지와 항저우임정구지터 표지석

항저우임시정부기념관 외부와 내부 전시 모습

항저우임시정부구지 유적지

1932년 김구는 항저우 쥬잉뤼써聚英旅社에 투숙하며 국무회의에 참석했다. 항저우로 미처 피신하지 못한 독립운동가들은 자싱, 쑤저우, 난징, 우시, 베이징 등지로 연고를 찾아 은신했다. 김철은 자신이 임시로 머물던 항저우 칭타이 제2여사 32호실을 임정의 임시 사무처로 설치했다. 5월 15, 16일 임정 제1회 국무위원회가 이곳에서 열렸다.

임정이 항저우로 이동해 오자 조소앙, 조완구, 이시영, 엄항섭, 이수봉李秀峰, 최석순, 안공근, 안경근安敬根, 김동우金東宇, 이동우李東宇 등도 항저우로 모였다. 칭타이 제2여사 사무처는 1934년 전후에 창성루 후비엔춘 23호로 이전했다. 국무위원 송병조宋秉祚, 양기탁, 김철이 후비엔춘 항저우 임시의정원에서 거주했고, 쉐스루 스지엔팡 40호에 한국독립당 사무소가 있었다.

1934년 11월 26일 밤에 열린 회의에 모인 사람들의 옷차림은 한복, 중국 옷, 양복 등이 뒤섞여 '다국적' 행사 같았다. 피난 중이었기 때문이다. 이날 항저우 중국공안국에서 파견된 경찰 2명이 부근에서 회의를 감시하고 있어, 송병조와 몇 명은 항저우 시내 시따쟈西大家로 옮겼다. 임시의정원도 더는 그곳을 임정 사무처로 사용할 수 없었다. 11월 28일 항저우 시내 반차오루 우푸리板橋路 五福里 2가 2호로 다시 옮겼다.

이후 임정은 국무위원 명단이 수차례 바뀌었다. 이동녕(법무)과 김구(군무)도 신변 위험으로 2개월 이상 재직하지 못하여 임시약헌 34조에 의해 자연 해직되었다. 송병조가 국무회의 주석으로 선임되었고, 이동녕 후임 법무장에 최동오, 신익희 후임 외무장에 김규식, 비서장과 내무장은 차

1935년 11월 7일 임정 국무위원 신임 제1회 국무회의 기념사진 앞줄 왼쪽부터 조완구, 이동녕, 이시영, 뒷줄 왼쪽부터 송병조, 김구, 조성환, 차이석

이석車利錫이 겸했다. 1935년 4월에서 6월 사이에 의원 양기탁, 김규식, 조소앙, 최동오崔東旿, 유동열 5명이 사표를 내 송병조(의정원 의장 겸임), 차이석(의정원 부의장 겸임)만 남게 되었다.

항저우 시대 3년 반 동안 임정은 갖은 고초와 난관을 겪었다. 사무처를 수차례 이동하면서 임시정부를 유지하려 했지만, 이합집산을 계속하면서 세월을 보낸 셈이다. 하지만 항저우에 있는 동안 김구는 장제스 주석과 협

1935년 항저우 자싱의 임정 요인들 아랫줄 왼쪽부터 송병조, 이시영, 김구, 이동녕(아이는 엄항섭의 딸), 조완구, 윗줄 왼쪽부터 엄항섭, 양우조, (미상), 안공근, 차이석, 조성환.

의하여 광복군 결성을 위한 전초 작업을 할 수 있었다.

1935년 11월 하순, 임정은 장쑤성 전장으로 이동한다. 여기서 제4차 내각이 성립되었으나, 1937년 중일전쟁이 일어나자 이동녕을 중심으로 본격적인 군사 정책을 펼치게 되었다.

추이란 부관장은 항저우 시기의 임정을 이렇게 설명했다.

"1932년부터 3년 6개월 동안의 항저우 시기에 임정은 이합집산을 거듭했어요. 임시의정원은 송병조, 김철, 양기탁 세 분이 갖은 고초와 난관을 극복하면서 이끌었습니다."

항저우에서 안중근과 김구를 다시 새기다

한·중청춘원정대 대학생 팀이 자싱, 하이옌을 거쳐 항저우로 왔다. 추이란 부관장은 상하이 아래쪽 사람들은 김구만 알고 안중근을 모르며, 북쪽인 동북 삼성 쪽 사람들은 안중근만 알고 김구를 모른다며 국내, 하얼빈, 뤼순 세 곳에서 안중근연구위원을 맡고 있는 김월배 교수에게 김구와 안중근 특강을 요청했다.

김 교수는 김구와 안중근의 관계를 네 가지로 요약했다.

첫째, 김구와 안중근은 고능선高能善을 스승으로 모신 동문 관계. 둘째, 김구의 장남 김인金仁과 안중근 동생 안정근의 딸 안미생安美生의 결혼으로 맺은 혈연관계. 셋째, 안중근 동생인 한인애국단 단원 안공근과의 동지 관계. 넷째, 김구의 안중근 유해 찾기 노력으로 정리했다.

해방 후 김구는 의열단원 박열에게 부탁해 일본에 있던 윤봉길, 백정기白貞基, 이봉창 의사의 유해를 찾아 서울 효창원에 모실 때 안중근 의사의

김구와 안미생 안미생은 안중근 동생 정근의 딸이다. 김구의 장남 김인과 혼인하였다.

허묘墟墓부터 만들었다. 김구는 그 후 김일성金日成을 만났을 때 안중근 의사의 유해를 찾아달라고 부탁했다.

김 교수가 청춘원정대 학생들에게 물었다.

"안중근 의사의 유해를 왜 반드시 찾아야 할까요? 2019년은 안중근 순국 109주년입니다. 역사는 다시 반복될 수 있습니다. 나라를 위해 희생하신 분들을 기억하고 기리지 않으면 누가 애국하겠습니까. 오늘이 바로 순국선열의 날입니다. 여러분 한중 학생들이 이렇게 임정을 찾는 노력이 바로 공공외교입니다. 한중 젊은이들이 서로의 역사를 더 많이 이해하면, 중국과 한국은 지금보다 더 적극적으로 안중근 의사의 유해를 찾아 나설 것입니다."

차꽃이 만발한 차밭의 아름다운 풍광 속에서 안중근 유해 발굴을 위해 애쓰자는 김 교수의 말이 절절했다.

강의가 끝난 후 주변 유적지들을 둘러보았다. 인흐루, 반차오루 우푸리 2가 2호, 칭타이 제2여사 32호. 곳곳마다 표지석이 일정하게 설치되어 있다. 항저우시에 감사한 마음이 들었다. 유적지들을 다 돌자 뤼단呂旦 관장과 추이란 부관장이 우리를 오찬에 초대했다. 경치만큼이나 진귀한 음식이 입맛을 사로잡았다.

항저우 답사를 정리하면서 뤄단 관장에게 한국에 하고 싶은 말을 물었다.

"사람들은 편안하고 행복했던 기억보다 힘들고 어려웠던 기억을 더 소중하게 생각해요. 항저우시 정부는 중국과 한국이 100년 전에도, 100년 후에도 친밀한 관계로 지내길 바랍니다."

1945년 일제가 패망한 뒤 중국과 한국은 서로 다른 길을 걸었지만, 1992년 한·중수교로 다시 만났다. 뤄단 관장의 말처럼 항저우 임시정부는 두 나라를 마음으로 이어주는 소중한 인연의 끈이다.

항저우임정기념관 뤄단 관장과 추이란 부단장과 함께

4

수로 3,000리 육로 3,000리

임시정부 이동 시기 | 1935년 11월~1939년 4월

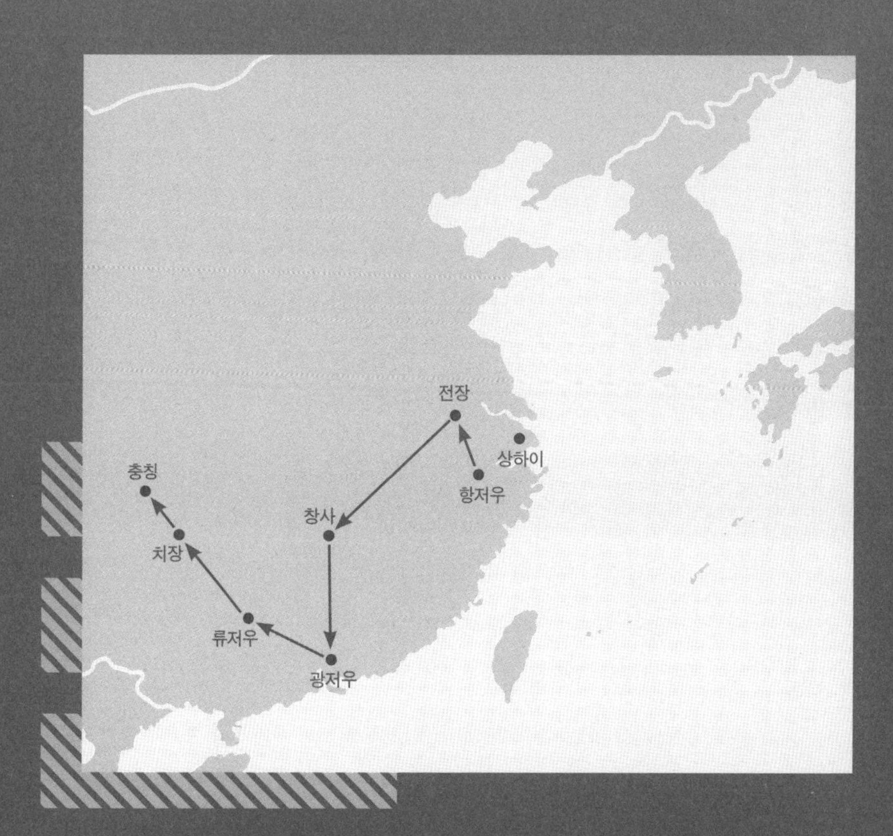

중일전쟁이 일어나다

1937년 7월 7일, 베이징 교외 루거우교蘆溝橋에서 일본군이 일으킨 군사 행동을 중국에 뒤집어씌우면서 중일전쟁이 시작되었다. 일본의 선전포고 없이 시작된 이 전쟁은 일본이 '지나사변支那事變'이라고도 폄하한다.

루거우교 사건 이후 일본은 베이징과 톈진을 점령하고 전쟁을 상하이로 확대했으며, 1937년 12월 10일 국민정부의 수도인 난징을 공격한 지 사흘 만에 난징을 점령하여 시민 수십만을 살육했다. 그 뒤 우한, 광둥, 산시에 이르는 남북 10개 성과 주요 도시 대부분을 점거했다.

당시 중국은 장제스의 국민당과 마오쩌둥의 공산당이 내전을 벌이고 있었다. 장제스는 일본의 침공보다 공산당 토벌에 더 집중해 내전에만 신경 썼다.

대한민국임시정부가 3년 6개월가량 머물렀던 중국 저장성 항저우에서 쓰촨성 충칭까지는 비행기로 약 1시간 30분이 걸린다. 그러나 당시 임정이 충칭까지 가는 데는 약 34개월이나 걸렸다.

중국 국민당 주석 장제스

윤봉길의 상하이 의거 이후 줄곧 저장성 일대에서 체류했던 임정 요인들은 당시 국민당 정부의 수도였던 장쑤성 난징을 오가며 활동했다. 그러다 1935년 11월에 임정 요인과 가족 일부는 장쑤성 전장으로 옮겨 약 2년 동안 머물렀다.

하지만 중일전쟁으로 임정 역시 대장정에 오르지 않을 수 없었다. 장제스의 국민당 정부가 피난길에 오르자, 임정도 생사의 기로에 섰고, 국민당 정부를 따라갈 수밖에 없었다. 중일전쟁의 불똥이 고스란히 임정에 튄 셈이었다. 임정의 대장정은 중국공산당 홍군紅軍이 국민당군의 포위망을 뚫고 370일간 9,600km를 걸어서 탈출한 대장정과 크게 다르지 않았다.

장쑤성 전장에 머물던 임정 대식구는 김구를 따라 국민당이 마련해준 목선을 타고 난징에서 창사까지 이동했다. 이틀 동안 물길을 이용해 탈출한 것이다. 임시헌법을 기초한 조소앙의 기록에는 임정 탈출 경로가 자세히 나온다. 1937년 11월 26일 장쑤성 난징시 터우관에 도착한 뒤 허저우, 우후, 루강, 허웨저우, 구이츠, 안칭, 한커우를 거쳐 12월 11일 후난성 창사에 도착했다.

창사에는 조성환, 조완구가 임정의 문서와 장부들을 챙겨 먼저 도착해 있었다. 임정은 이곳에서 약 8개월 동안 머물렀다. 후난성 성도인 창사는

임정 이동시기의 임정 가족사진 앞줄 어린아이들은 엄항섭의 세 아이이며, 둘째 줄 왼쪽부터 송병조, 이동녕, 김구, 이시영, 조성환, 뒷줄 왼쪽부터 연미당, 엄항섭, 조완구, 차이석, 이숙진이다.

상하이와 항저우보다 물가가 싸고 홍콩과 가까워 외신을 쉽게 접할 수 있었다.

난무팅의 총성, 김구 구사일생으로 살아나다

창사에도 임정이 머문 유적이 있다. 이곳에는 한국광복운동단체 연합회의 한국국민당韓國國民黨과 조선혁명당朝鮮革命黨, 한국독립당韓國獨立黨 세 파가 있었다.

한국국민당에는 이동녕, 이시영, 조완구, 차이석, 김봉준金鳳浚, 송병조, 엄항섭, 안공근, 민병길閔丙吉, 손일민孫逸民, 조성환이 김구와 함께 참여하고 있었다. 한편 조선혁명당에는 지청천, 유동열, 최동오, 김학규金學奎, 황학수黃學秀, 이복원李復源, 안일청安一清, 현익철玄益哲이, 한국독립당에는 조소앙, 홍진, 조시원趙時元이 있었다. 김구는 이 세 파를 연합하기보다는 하나의 정당으로 통합하고 싶어 했다.

1938년 5월 6일 난무팅南木廳 9호에 있는 조선혁명당 사무실에서 연회가 열렸다. 김구도 초대받았는데, 밤 12시쯤 연회 도중에 청년 활동가였던 이운환李雲煥이 권총을 난사하는 일이 벌어졌다. 현장에서 현익철이 죽고 김구와 유동열은 중상을, 지청천은 경상을 입었다.

이운환은 왜 총을 난사했을까. 그는 임정 어른들이 자기편 의견만 내세워 진전이 없다며 불평했다고 한다. 항저우에서의 이합집산도 안타까웠는데, 난무팅에서도 서로 화합하지 못했던 것이다.

사건 직후 김구는 곧바로 샹야이의원(현 호남대학교의과대학 부속병원)으로 옮겼지만, 의사는 가망이 없다며 진료하지 않았다. 그러나 네 시간이 지나도록 김구가 숨을 거두지 않자 뒤늦게나마 치료를 시작했고, 이후 김구는 한 달간 치료를 받았다.

김구가 저격당했다는 소식을 듣고 후난성 주석인 장즈중張治中은 매우 놀랐다. 그는 하루에도 몇 번씩 김구의 안부를 물었고, 퇴원할 때 치료비도 보냈다고 한다.

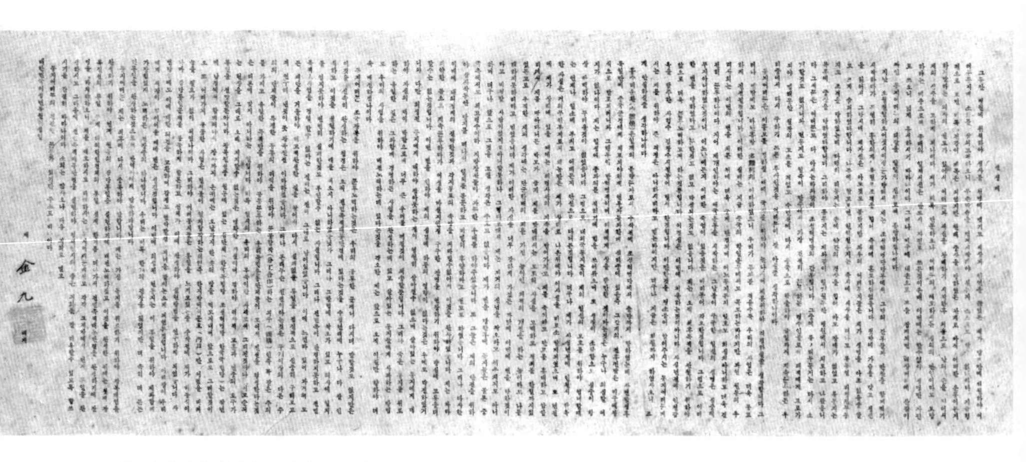

난무팅 사건과 관련한 김구의 성명서

김구는 퇴원 후 곧바로 어머니 곽낙원郭樂園을 찾아갔다. 『백범일지』를 보면, 피격당해 입원해 있는 동안 어머니에게 사고 소식을 알리지 않고, 다 나은 다음 어머니를 찾아갔다. 그때 어머니는 사고 소식을 듣고도 조금도 동요하지 않고 이렇게 말했다고 한다.

"자네 생명은 상제께서 보호하시는 줄 아네. 사악한 것이 옳은 걸 범하지 못하지. 하나 유감스러운 것은 이운환 정탐꾼도 한인인즉 한인 총을 맞고 산 것은 일인 총에 죽는 것보다 못하네."

과연 김구의 어머니다운 말이었다.

땅 위에서 물 위에서 기차와 배로

1938년에는 창사도 일본군의 거센 공격을 받았다. 7월에 임정은 또 짐을 싸서 광둥성 광저우로 옮겼다. 이때 임정 가족 중에는 윈난성 쿤밍이나 베트남으로 가자는 사람도 있었다고 한다. 정정화鄭靖和의 『장강일기』에는 만약 윈난성 쿤밍이나 베트남에 갔다면, 이미 일본에 점령당한 곳이었으니 꼼짝없이 독 안에 든 쥐 꼴이 되었을 것이라는 내용이 나온다.

임정은 광저우에서 약 두 달을 머물렀다. 일본군이 광저우로 진격한다는 소식을 들은 김구는 국민당 정부가 임시수도로 정한 충칭으로 갔다. 국민당 정부에 교통편을 요청하자 장제스는 임정 대가족을 위해 기차 한 칸을 내어주었다. 중국 국민당의 특별 배려였다.

그러나 일본군의 폭격으로 기차 탈 수 있는 허가서를 늦게 받아 임정 가족이 기차역에 도착했을 때는 시내가 아수라장이었다. 중국 군인들의 도움으로 10월 19일에 간신히 출발한 기차는 일본군의 비행기 폭격이 있을

미국인 기자가 촬영한 류저우 피난 열차 국민당 장제스가 임정 대가족을 위해 기차 한 칸을 내주었다.

때마다 멈춰서길 반복했다. 그럴 때마다 임정 가족들은 기차에서 내려 수수밭이나 강가 풀밭에 엎드려서 비행기 폭격을 피했다.

광시성 류저우까지 갈 때는 배를 타고 주강을 거슬러 올라갔다. 광저우에서 목선을 타고 광시성 자치주인 가오야오 구이핑에 도착했다. 그 후 전탄, 백탄, 늑마진, 석룡, 천탄을 거쳐 그해 11월 말 류저우에 도착했다.

이때 목선으로 구이핑까지는 그런대로 갔는데, 인원이 늘어나자 증기선이 목선을 끌어야 했다. 하지만 난리 통에 기선이 도망가 버려 임정 가족은 배 위에서 20여 일을 오도 가도 못하고 지내기도 했다. 그 후 간신히 배를 구해 이동했는데, 강폭이 좁아 배가 움직이지 못하자 모두 내려 배에 밧줄을 걸고 끌기도 했다. 이동 중 식량이 떨어지면 옷을 팔아 양식을 마련했고, 최후에 쓰려고 간직했던 비상금까지 사용했다고 한다.

충칭을 코앞에 두고 임정의 큰 별이 지다

쓰촨성 치장은 충칭에서 가까운 곳이었다. 김구는 물가가 비싼 충칭보다 치장에 머무는 것이 좋겠다는 생각에 임정 가족들을 치장으로 불렀다. 국민당 정부에서 버스 여섯 대를 내주었으나 치장까지 가는 데 9일이나 걸렸다.

중국에서도 가장 험한 육로인 구이저우성 러우산관 굽잇길과 치스얼춘 굽잇길을 넘을 때 기록을 보면, 버스들이 거의 짐차나 다름없이 낡은 데다, 굽잇길을 돌 때마다 계곡 아래 거꾸로 처박혀 있는 차들을 보면서 운전사가 졸까 봐 옆에서 계속 깨웠다는 이야기도 나온다.

1940년 3월, 치장에 도착한 임정 가족에게 크나큰 슬픔이 찾아왔다. 임정의 정신적 지주였던 이동녕이 지병으로 별세한 것이다.

이동녕은 1910년 일제에 나라를 빼앗기자 만주 서간도 류허시엔 싼웬푸柳河縣 三源堡로 망명했다. 동지들과 한인 자치기관인 경학사耕學社를 설립해, 교포들의 신분 보장과 독립정신 고취에 앞장섰다. 신흥학교新興學校 초대 교장으로 지내면서 항일독립군 양성의 중추기관인 신흥무관학교新興武官學校로 키웠다. 1914년에는 러시아 연해주에서 이상설, 이동휘 등과 함께 무장독립단체인 대한광복군정부大韓光復軍政府를 만들었다. 1918년 지린성에서 김교헌金教獻, 조소앙, 조완구, 김좌진金佐鎭 등 민족대표 39명과 함께 '대한독립선언서(무오독립선언서)'에 참여하기도 했다.

이동녕은 그해 2월 상하이로 건너와 임정 조직을 모색했고, 4월 11일 동지들과 임정 수립을 선포했다. 그는 임정에서 국무총리, 이승만 탄핵에 따른 대통령 대행, 의정원 의장, 국무령을 지냈다. 1927년부터 1940년 타계할 때까지 임정 주석을 네 번이나 역임하면서 임정을 흔들리지 않도록 지켜왔던 것이다.

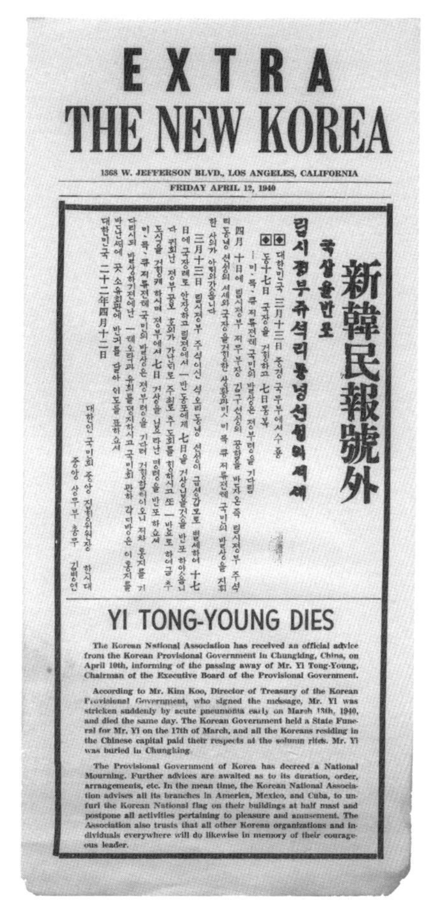

EXTRA

THE NEW KOREA

1368 W. JEFFERSON BLVD., LOS ANGELES, CALIFORNIA

FRIDAY APRIL 12, 1940

新韓民報號外

국상을반포

림시정부쥬석리동녕선생의서세

◈◈ 대한민국 三月十三日 중경 국무부에서수 홈

동十七日 국장을 거힝하고 七日동복

…미·목·쿠 저류전톄 국민의 발상은 정부령을 기다림

四月 十日에 림시정부 저무부장 김구선생의 공함을 바다온즉 림시정부 주석 리동녕 선생의 서세와 국장을거힝한 상황과미ㅅ 미 목 쿠 저류전톄 국민의 발상을 지휘한 사의가 아래와갓숩니다

三月十三日 림시정부 주석이신 석오리동녕 선생이 급성갑모로 별세하여 十七日에 국장례로 안장하고 림정에서 一반동포에게 七日을 거상님볼것을 반포 하아숩니다 귀회난 정부공포 호회가 가나리로 주회로 추도회를 힝하시고또 一반포로 하여금 추도식을 거힝케 하시며 정부에서 七日 거상을 님보라난 명령을 반포 하쇼셔

미·목·쿠 저류전톄 국민의 발상은 정부령을 기다려 거힝할터이오니 저차 통지를 기다리시되 발상하기전에난 一톄오락과 유희를뎡지하시고 국미회 관하 각디방은 이통지를 바다난셰에 곳 소유회관에 반귀를 달아 인도를 표하쇼셔

대한민국 二十二年四月十二日

대한인 국민회 중앙 집힝위원장 한시대

중앙 상무부 총무 김병연

YI TONG-YOUNG DIES

The Korean National Association has received an official advice from the Korean Provisional Government in Chungking, China, on April 10th, informing of the passing away of Mr. Yi Tong-Young, Chairman of the Executive Board of the Provisional Government.

According to Mr. Kim Koo, Director of Treasury of the Korean Provisional Government, who signed the message, Mr. Yi was stricken suddenly by acute pneumonia early on March 13th, 1940, and died the same day. The Korean Government held a State Funeral for Mr. Yi on the 17th of March, and all the Koreans residing in the Chinese capital paid their respects at the solumn rites. Mr. Yi was buried in Chungking.

The Provisional Government of Korea has decreed a National Mourning. Further advices are awaited as to its duration, order, arrangements, etc. In the mean time, the Korean National Association advises all its branches in America, Mexico, and Cuba, to unfurl the Korean National flag on their buildings at half mast and postpone all activities pertaining to pleasure and amusement. The Association also trusts that all other Korean organizations and individuals everywhere will do likewise in memory of their courageous leader.

1940년 4월 12일 <신한민보>에 실린 이동녕 서거 기사

1935년에는 김구와 함께 한국국민당을 창설하고 당수로 추대되었고, 1937년에는 대한광복전선을 구축하는 데 힘을 쏟았다. 1939년에는 임정의 네 번째 주석이 되어 김구와 함께 전시 내각을 구성하고, 시안에 대한국사단을 파견하는 등 조국 독립을

임정의 최고 어른 이동녕의 장례식 이동녕은 임정을 지켜오면서 조국 독립을 위해 평생을 바쳤다.

위해 평생을 바쳤다.

1940년 3월 13일, 이동녕은 72세의 나이로 치장에서 눈을 감았다. 장례는 임정 주도로 국장으로 치렀다. 광복 후인 1948년 9월 22일, 김구의 주선으로 유해를 봉환하여 효창원에 안장했다. 1962년 건국훈장 대통령장이 추서되었다.

충칭에서 우리를 안내한 리셴즈李鮮子 충칭임시정부기념관 전 부관장은 이렇게 말했다.

"김구는 『백범일지』에서 '이동녕 선생을 가장 존경했다'고 했는데, 말 그대로 이동녕 선생은 임정 가족에게 '최고 어른'이었습니다."

김월배 교수는 이동녕 생가와 기념관이 천안 독립기념관 지척에 있는데, 찾는 이가 많지 않은 것 같다며 아쉬워했다. 독립기념관을 방문할 때 이동녕기념관도 필수 탐방지가 되었으면 좋겠다.

제비도 못 넘는다는 바쑤웨와 장준하

1940년 9월 임정과 그 가족이 충칭에 도착하기까지 이동한 거리는 육로 3,000리, 수로 3,000리로 말 그대로 목숨을 건 대장정이었다. 특히 충칭으로 가면서 넘어야 했던 바쑤웨巴蜀嶺는 『삼국지』에서 제비도 넘지 못하는 험난한 고개라고 표현한 곳이다.

충칭에 임시수도를 정한 중국 국민당은 일본이 패망할 때까지 그곳에서 버텼고, 대한민국임시정부도 마찬가지였다. 일본군은 대부분 우마차로 이동했는데, 말이나 차로는 바쑤웨를 넘을 수 없자 충칭에 둥지를 튼 국민당 정부를 주로 비행기로 공격했다.

장준하張俊河가 쓴 『돌베개』에는 당시 일본 부대를 탈출한 자신을 비롯한 학도병 50명이 바쑤웨를 넘을 때의 생생한 기록이 있다.

"(후베이성) 라오허커우를 떠나 감히 바쑤웨를 발로 넘겠다며 걷고 또 걸었다.

걸어도 걸어도 이 산속에서 헤어날 것 같지가 않은 오르막길은 등산도구나 있어야 오를 것같이 험난한 모험의 길이었다. 길인지 아닌지 분간 못할 사람의 통로가 꼬불꼬불 바위에 부딪히고 원시림을 돌아 언덕을 넘고 하여 이어져 있었다. 대부분의 오름길은 층암길이어서 때로는 계곡으로 홈이 패이고 절벽으로 막혀 끈으로 잡아매고 잡고 기어올라야 했다. 도시(도무지) 이 길은 길로서 있는 것이 아니라 제비도 날아서 넘어가지 못한다는 고사가 있는 영嶺의 숨길이었다. 말도 지나가지 못하는 바쑤웨의 험로다.
국민정부가 충칭으로 쫓겨 간 후 비로소 생긴 이 통로는 그 후 계속 전후방을 연결하는 유일한 전령로傳令路가 되어버린 것이다. 모든 장비와 병참지원 보급을 국민정부는 등짐으로 져서 이 바쑤웨를 넘어 보냈다. 그러나 일본군의 기동대는 도저히 이 바쑤웨를 넘을 수가 없었다. 일군의 기동력은 말과 자동차였다. 포대에서 대포를 끄는 말과 보급지원과 수송을 담당하는 자동차가 주로 점點과 선線을 점령, 확보하는 전략에 쓰였는데 이 바쑤웨에서는 오히려 기동력이 무력한 것이 되는 것이었다.
바쑤웨는 고원지대였다. 평평한 고원지대에 이르기까지 오름길은 우람한 서사시의 서론처럼 심산유곡의 아름다움을 지니고 있었다. 삭풍에 시달리는 울창한 마른 나무줄기들, 하늘이 이 나뭇가지 끝에 걸려서 하늘하늘 흔들리고 있었다.
-중략-
바쑤웨의 등정을 시작한 지 엿새, 드디어 일단은 그 꿈의 등정을 이루었는데, 그러나 그것은 등정이 아니었다. 무한대의 설평선雪平線이 펼쳐져 있었다. 그 고원을 횡단해야 한다. 그 고원의 횡단이 사흘 길이었다. 피할 곳, 쉴 곳이 전혀 없는, 그저 가고 또 가야 하는, "거칠 것이 없다"는 말이 결코 좋은 말이 아니라는 것을 심각深覺케 하는 길이었다.

무릎까지 빠져드는 길, 차라리 바쑤웨를 오르는 그 길이 좋았다 해야 할 것이었다. 고원의 한밤을 지냈는데, 둘째 날 태양이 떠오르면서 그 아름다운 태양이 두려움을 가져다 안겼다! 두렵다! 더 못 걸어갈 것 같다. 살 수 있는 방법은 오직 걷는 것인데 둘째 날 석양이 이를 때는 이미 대원들 간의 일체의 대화가 끊겨 버렸고 철석같은 두려움이 온 대원들을 지붕처럼 덮어왔다. 어두운 밤, 거기 그 눈 위에 모두가 주저앉아 버렸다. 어찌 다른 방법이 있겠는가? 온몸은 이미 얼어버렸고, 그런데도 그런 채로 잠들고 있었다.

"잠이 들면 죽는다. 잠이 들면 죽는다."

- 장준하, 『돌베개』에서

장준하는 그렇게 죽을힘을 다해 고원을 넘다가 절벽 바위 위에서 무언가 사뿐 내리꽂히는 물체를 발견했다. 모두가 무서워 떨었는데, 대원들 앞에 사뿐 내려앉은 것은 호랑이었다고 한다. 그러나 호랑이는 그들에게는 전혀 관심이 없다는 듯 사라져버렸다고 한다.

장준하는 김준엽金俊燁과 함께 바쑤웨를 넘으며 졸지 않으려고 자신의 허벅지를 꼬집고 옆에 누운 김준엽을 흔들어 깨웠다. 혹시나 하는 무서움에 떨면서. 흔들어 깨워서 반응이 없으면 동사한 것이다. 다시 장준하의 『돌베개』를 보자.

"김 동지…."

나는 언뜻 무서워졌다. 혹시나 하는 생각에서 김 동지를 흔들어 깨웠다.

"응? 으응!"

> 밤 두어 점이나 되었을까? 내 몸의 3분의 2 이상이 이미 내 몸이 아닌 동태였다. 내 의식은 분명히 내 몸의 3분의 1 안에서만 작용하는 것 같았다. 피의 순환 속도가 빨라지는 것 같기도 했고, 점점 느려지는 것 같기도 했다. … 책상다리를 하고 주저앉았던 구둣발이 그대로 얼어붙어 움직일 수가 없었다.

고원의 길 3일째 아침, 50명의 생사가 바로 자신에게 맡겨진 거 같았다고 고백했다.

"여러분, 주저앉으면 죽습니다. 오늘 하루를 버티면 고원길이 끝납니다. 우리가 여기서 죽을 수는 없습니다."

장준하는 대원들의 행보를 격려하는 일에 진액을 쏟았다.

아, 그 바쑤웨를 넘었다!

장준하 일행은 1944년 7월 7일 악명의 스까다 부대를 떠난 후 6개월 13일간 계속된 육로 진군을 끝내면서 통탄한다.

> "다시는 부끄러운 조상이 되지 않으리라…."

조국을 잃고 학도병으로 일본군에 끌려가 임정과 합류하기 위해 죽음의 순간들을 수없이 겪은 후 겨우 살아난 장준하가 외친 간절한 다짐이 내 가슴에 뜨거운 격정을 불러일으킨다.

5

임시정부의 황금기

중국 충칭 | 1940년 9월~1945년 11월

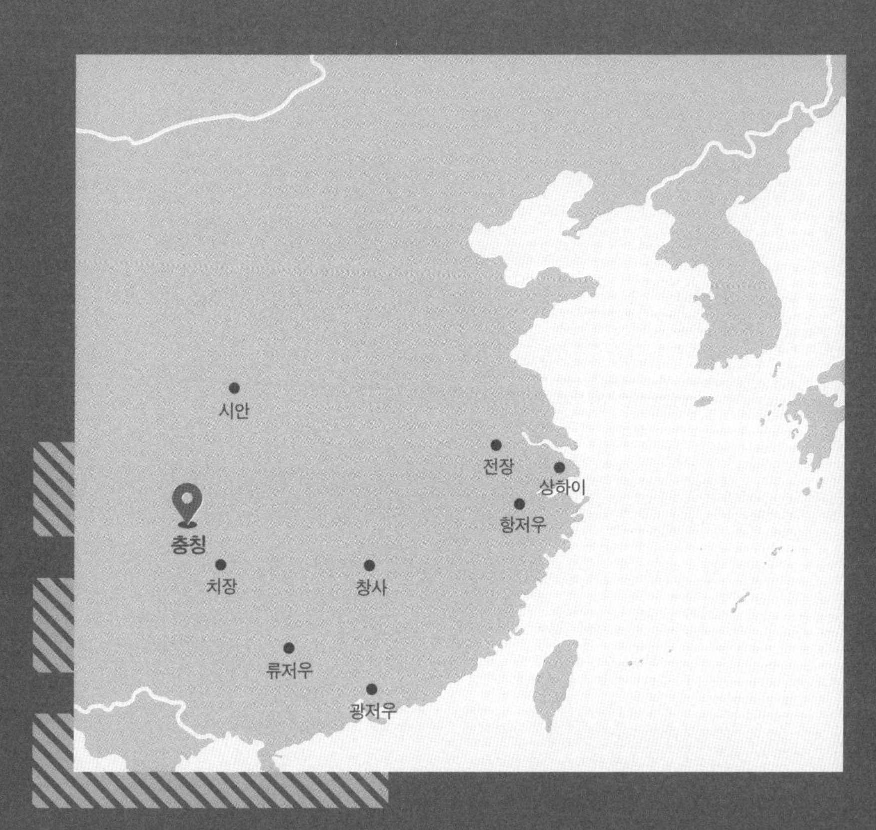

대한민국임시정부 마지막 청사 롄화츠

'충칭 대한민국임시정부구지 진열관重慶 大韓民國臨時政府舊址 陳烈館' 롄화츠蓮花池 38호.

충칭은 대한민국임시정부의 중국 내 마지막 청사다. 1940년 9월부터 일본이 항복한 1945년 8월까지 임정이 있던 곳이다. 1932년부터 상하이에서 항저우, 자싱, 난징, 창사, 광저우로 옮겨 다녔고, 1940년에 자리 잡은 마지막 지역이다.

충칭임정 구지는 경사가 심한 바위 절벽에 자리한 3층 건물이었다. 국무위원회의실, 주석실과 주석 접견실 등이 각 층에 있어 실제 정부청사 느낌이 든다. 안내판에 '이곳은 1945년 1월부터 11월까지 사용한 임시정부의 마지막 청사'라고 쓰여 있다.

리셴즈 부관장은 충칭뿐만 아니라 중국에 흩어져 있는 임정 사적지 자료연구 전문가다.

충칭 대한민국임시정부구지 진열관 대한민국임시정부의 중국 내 마지막 청사이다.

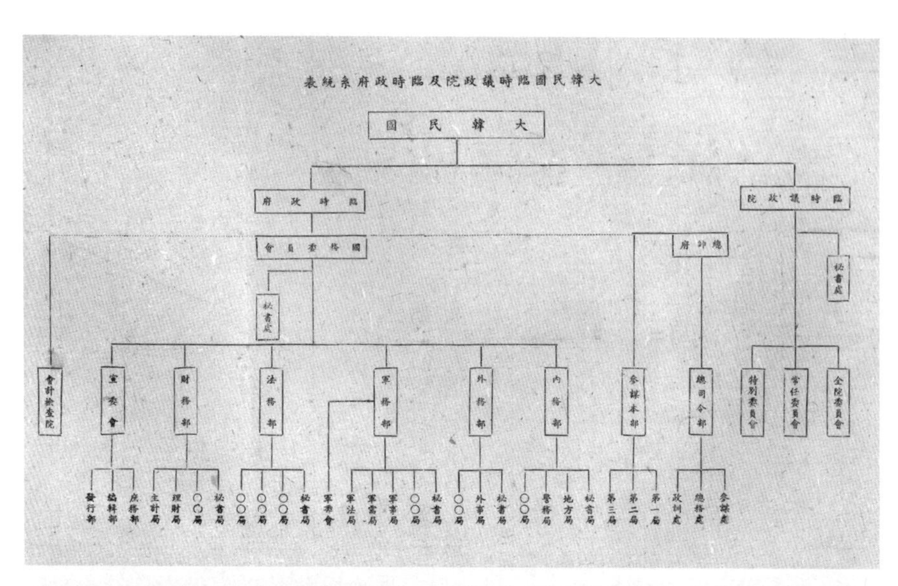

1940년대 임정 조직도와 1942년 10월 25일 임시정부 제34회 의정원 의원들

"여기는 지세가 험해서 육로로는 일본이 공격할 수 없었어요."

리 부관장의 말이 쉽게 이해된다. 충칭은 바위산으로 이루어져 산성이라 불렸다. 깎아지른 절벽에 하늘을 찌를 듯한 고층 아파트가 많다. 실제로 숙소에서 충칭역을 오갈 때 탔던 황관 에스컬레이터는 아시아에서 두 번째로 길어 길이가 112m나 된다고 한다. 산 정상 도시에서 에스컬레이터를 타고 산 아래까지 내려오니 충칭역 광장으로 이어진 시가지였다.

충칭에 온 임정은 양리유지에楊柳街에 있다가 폭격당해 스판치에石版街로 이동했지만 다시 폭격당해 허핑루 우푸지에 우쓰예강和平路 五福街 吳師爺港 1호로 옮겼다. 현재의 롄화츠 38호는 원래 바위 계곡에 지은 호텔이었는데, 세를 내고 사용했다. 1995년 8월 15일 독립기념관과 충칭시가 협의해서 정비했고, 2017년 문재인 정부 들어 새롭게 단장했다.

대한민국임시정부의 정식 군대, 한국광복군

기념관을 둘러보고 '대한민국 광복군 총사령부大韓民國光復軍總司令部' 터를 찾았을 때 한창 공사 중이었는데, 2019년 3월 29일 개관했다. 한국광복군韓國光復軍은 1940년 9월 17일, 충칭 자링빈관에서 '한국광복군 총사령부 성립 전례식'을 통해 창설되었다. 임정 주석 겸 광복군창설위원회 위원장이었던 김구는 '한국광복군' 창설을 대외적으로 공표했다.

> 대한민국임시정부는 대한민국 원년1919에 정부가 공포한 군사조직법에 의거하여 중화민국 총통 장제스 원수의 특별 허락으로 중화민국 영토 내에서 광복군을 조직하고 대한민국 22년1940 9월 17일 한국광복군 총사령부를 창설하며 한국광복군은 중화민국 국민과 합작하여 우리 두 나라의 독립을 회복하고 저 공동의 적인 일본 제국주의자들을 타도하기 위하여 연합국의 일원으로 항전을 계속한다.

한국광복군총사령부 성립 전례식 기념 사진 1940년 9월 17일 충칭 자링빈관.
"한국광복군은 중화민국 국민과 합작하여 우리 두 나라의 독립을 회복하고 저 공동의 적인 일본 제국주의자들을 타도하기 위하여 연합국의 일원으로 항전을 계속한다."

광복군을 창설했지만 작전권은 국민당에 있었다. 광복군 수도 많지 않았다. 후에 일본군 부대를 탈출한 장준하를 비롯한 학도병 출신 50여 명이 합류하게 되면서 힘을 얻었다. 이들이 사지를 건너 충칭임정에 도착했을 때, 모두 말을 잇지 못하고 울었다는 기록이 있다. 일본군 부대를 탈출하여

2019년 3월 29일 개관한 한국광복군총사령부

굶주림과 위험과 험로를 헤치며 오로지 빼앗긴 나라의 분신인 임정의 품에 안기려고 찾아온 것이다. 하지만 이들은 임정이 각파로 나뉘어 서로 환영회를 하자 회의를 품었다.

이때 장준하는 이런 줄 알았으면 오지 않았을 거라며 다시 떠나고 싶다고 했다. 환영회를 빙자해 자기편으로 끌어들이려는 파벌 간 세력 늘이기를 지켜보면서 실망하고 만 것이다. 이때 이들을 다독거린 사람은 이범석李範奭이었다. 이범석은 장준하에게 나도 파벌싸움에 신물이 나서 시안에 가서 광복군에 최선을 다하고 있다고 했고 그 후 장준하와 함께한 청년대원들도 시안으로 갔다고 한다.

허샹산 공동묘지와 곽낙원 여사

허샹산和尚山 공동묘지 터는 아파트 공사 울타리를 쳐놓아 들어갈 수 없었다. 차를 타고 반대편으로 가서 길도 없는 언덕을 간신히 올라가니 넓은 공터가 나타났다. 묘지 흔적은 어디에서도 찾을 수 없었다.

김구 어머니 곽낙원 여사도 이곳에 묻혔다가 조국으로 반장 되었다. 곽씨 부인으로 알려진 곽낙원은 1859년 2월 26일, 황해도 장연에서 태어났다. 김구가 어렸을 때 직접 『천자문』을 가르치고, 『동몽선습』과 사서삼경을 읽게 하며 아들 교육에 전념했다.

김구는 치하포에서 일본군 중위 스치다를 국모 명성황후 시해죄로 처단해 1897년 7월에 사형을 선고받는다. 곽낙원은 매일 아들을 찾아가 옥바라지를 했다. 김구는 1902년 고종의 지시로 사형 집행이 중지되어 풀려났다.

1911년 김구는 비밀결사단체인 신민회에서 활동하다 일경에게 체포

1934년 김구 가족(앉은 이가 모친 곽낙원)과 1939년 김구 모친 곽낙원 묘비

되어 2년 형을 언도받았고, 안명근 의사의 '데라우치 총독 암살사건' 계획이 드러나 이 사건에도 관련되어 형량이 15년 형으로 늘어나 총 17년 형의 징역을 선고받았다. 곽낙원은 아들의 의지가 꺾이는 것이 두려워 조금도 슬픈 기색을 보이지 않고, 오히려 아들이 독립운동에 전념할 수 있도록 격려했다.

곽낙원은 삯바느질과 가정부로 일하며 김구를 지원했다. 1922년 김구가 상하이임정에서 경무국장으로 활동할 때, 곽낙원도 상하이로 갔다. 이때 먹을 게 부족해 쓰레기더미에서 배춧잎을 주워 끼니를 연명하면서도 군자금을 보탰다.

1925년 12월 황해도 안악으로 돌아온 곽낙원은 일제의 감시가 갈수록 심해지자 1934년 3월 19일 손자 김인과 김신을 데리고 다시 상하이로 갔다. 그 후 장손 김인을 군관학교에 보내고, 중앙군관학교 낙양분교에서 군사훈련 중인 청년 20여 명의 병영생활을 돌보기도 했다. 1940년 4월 26일, 그는 조국 광복을 보지 못하고 쓰촨성 충칭에서 세상을 떠났다.

리 부관장이 한숨을 내쉬며 말했다.

"이곳에 묻혔던 김구 모친 곽낙원 여사와 김구의 장남 김인, 차이석, 이동녕 선생을 1948년에 고국으로 모셔서 다행입니다. 이 땅은 중일전쟁 때 돈 많은 중국인이 내줘서 묘지로 사용했다고 합니다."

이곳도 곧 개발될 것 같다고 한다. 어쩌면 우리가 마지막 발자국을 찍을지도 모르겠다고 했더니 김월배 교수가 위치를 확인해 보았다.

충칭 허상산 공동묘지 터 임정 요인과 가족들 묘지가 있던 곳이다.

조선의용대와 약산 김원봉

조선의용대朝鮮義勇隊 활동지 다푸퉈안정지에大佛段正街 158.

리센즈 부관장은 조선의용대 본부 인근에 김원봉 숙소가 있었다고 한다. 지금은 시장통으로 변해 길 양쪽에 빼곡하게 가게가 들어서 있다. 가게마다 채소와 과일이 쌓여 있다. 집들은 거의 허물어져 곧 주저앉을 것 같았다. 리 부관장은 무척 안타까워했다.

"1937년 난징에 있던 국민당 정부가 충칭으로 피난을 오자 당시 10만이었던 인구가 100만으로 늘어났어요. 살 곳이 부족해 급하게 흙집을 지었지요. 창살은 거의 대나무였어요."

리 부관장 말을 듣고 방치된 채 허물어지기 직전인 집들을 살피니 시커멓게 변한 대나무 창살들이 보인다.

김원봉이 살던 집을 찾아냈으나 허접한 그릇 몇 개만 여기저기 널려 있었다.

김원봉은 일제강점기 독립운동가이자 북한 정치인이었다. 호는 약산若山. 1919년에 아나키즘 단체인 의열단義烈團을 조직했고, 황푸군관학교黃埔軍官學校를 졸업하고 조선의용대를 조직했다. 대한민국임시정부에 합류하여 임시의정원(경상도 지역구) 의원, 광복군 부사령관 겸 제1지대장으로 활동했고 1944년에 임정 군무부장에 선출됐다.

김원봉 의열단과 조선의용대를 조직한 독립운동가

해방 후인 1946년 민족주의민주전선民主主義民族戰線을 결성했고, 조선공산당朝鮮共産黨 조선민주청년동맹朝鮮民主青年同盟(약칭 조선민청)의 명예회장을 맡았다. 1948년 김규식, 김구 등과 함께 남북협상에 참여한 다음, 4월에 월북했다. 그는 북한에 정부가 수립된 후 국가검열성상, 노동상, 조선로동당 중앙위원회 중앙위원, 최고인민회의 상임위원회 부위원장 등을 역임했다. 한국전쟁 당시에는 남파활동을 벌이기도 했으나 김일성과의 정치 암투에서 패배했다. 1958년 11월 김일성을 비판한 연안파 제거작업 때 숙청되었다.

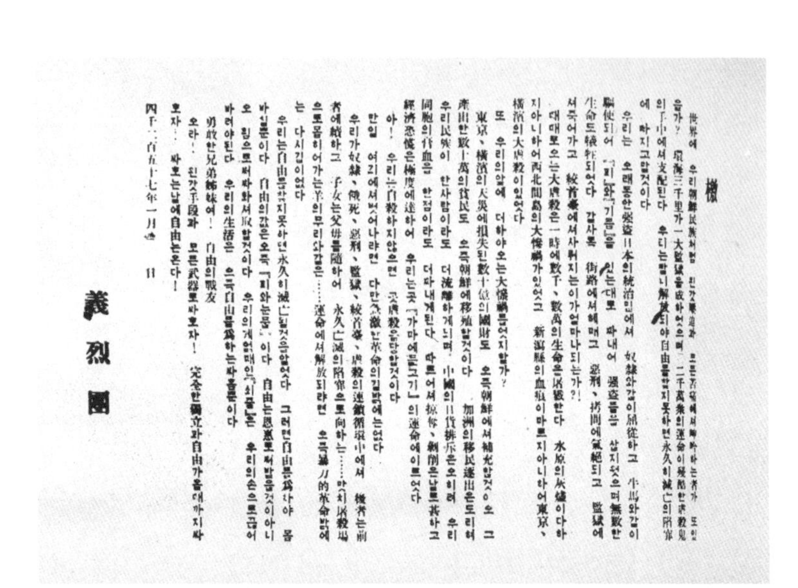

檄

世界에 우리朝鮮民族처럼 왼갓暴虐과 모든苦痛에서빠져나는者가 또잇을가? 環海三千里가 一大監獄을成하엿으며 二千萬衆의運命이殘酷한虐殺鬼의手中에서支配된다 우리는빨니解放되야自由를찾지못하면永久히滅亡의陷穽에 빠지고말것이다

우리는 오래동안强盜日本의統治밋에서 奴隷와갓이屈從하고 牛馬와갓이驅使되어 「피」와「기름」을 잇는대로 따내어 强盜들은 살지엿으며 無數한生命도犧牲되엿다 감사록 街路에서헤매고 惡刑、拷問에氣絶되고 監獄에서죽어가고 絞首臺에서사라지는이가얼마나되는가?!

대매로오는大虐殺은一時에數千、數萬의生命을屠殺한다 水原의灰燼이다하지아니하어西北間島의大慘禍가잇엇고 新濱縣의血痕이마르지아니하어東京、橫濱의大虐殺이잇엇다

또 우리의압에 더하야오는大慘禍를어지할가?

東京、橫濱의天災에損失된數十億의國財도 오즉朝鮮에서補充할것이오 그產出한數十萬의貧民도 오즉朝鮮에移殖할것이다 加洲의移民逐出은도리혀우리民族이 한사람이라도 더流離하게되며 小國의日貨排斥은오히려 우리同胞의膏血을 한점이라도 더따내게된다 따르어서掠奪、剝削은날로甚하고經濟恐慌은極度에達하어 우리는곳「가마에든고기」의運命에이르엇다

아! 우리는白殺하지않으면 곳虐殺을당할것이다

만일 여기에서벗어나랴면 다만急激한革命의길밧에는업다

우리가奴隸、餓死、惡刑、監獄、絞首臺、虐殺의連鎖循環中에서 犧牲者는前者에續하고 子女는父母를隨하어 永久亡滅의陷穽으로向하는……마치屠殺場으로몰히어가는羊의무리와갓은……運命에서解放되랴면 오즉暴力的革命밧에는 다시길이업다

우리는自由를찾지못하면永久히滅亡될것을알엇다 그러면自由를爲하야 몸바칠뿐이다 自由의갑은오즉『피와눈물』이다 自由는恩惠로써밧을것이아니오 힘으로써싸화서取할것이다 우리의게엇매인『쇠줄』은 우리의손으로끈어바려야된다 우리의生活은 오즉自由를爲하는싸홈뿐이다

勇敢한兄弟姊妹여! 自由의戰友

오라! 왼갓手段과 모든武器로싸호자! 完全한獨立과自由가올대까지싸호자… 싸호는날에自由는온다!

四千二百五十七年一月 日

義烈團

의열단의 조선혁명선언서와 1938년 10월 10일 조선의용대 창설 기념사진

1열 왼쪽부터 이익성, 엽홍덕, 신악, 이집중, 한지성, 주세민, 박효삼, 김성숙, 윤세주, 최창익, 김원봉, 이해명, 권채옥, 김위

투차오마을과 임정의 안주인 정정화 여사

임정 가족과 학도병들이 살던 투차오마을을 찾아갔다. 투차오마을은 충칭 롄화츠 청사와는 서울과 안양 정도의 거리였다. 충칭 강관그룹 공장으로 들어가야 마을 입구가 나오는데, 공장은 오래전에 문을 닫은 듯 허물어진 채 방치되어 있었다. 마을 터는 어린 배추들이 자라는 밭이 되어 있었고, 그을린 돌무더기들이 예전의 집터임을 알려 주었다.

미국 육군대위 싸전트Clyde, B. Sargent가 1945년 4월 3일에 쓴 보고서에 투차오마을에 관한 내용이 있다.

> 투차오의 한국인 마을은 3년 전에 세워졌다. 부분적으로는 충칭에 있는 임정 요원 가족들의 주택 문제를 해결하고, 심한 공습을 피하기 위한 것이다. 그 마을 주민들은 거의 정부 요원들의 처자였고 약 80명가량 된다. 안휘에서 온 한국인 37명도 그곳에 숙소를 정하고 있다. 마을에는 간선도로 바로 앞에 건물

> 네 채가 있다. 그 간선도로는 중국군 수송부대로 들어가고, 마을로 가는 바위 언덕으로 올라가는 투차오의 큰 다리를 건너 바로 오른쪽에 있다.

리 부관장이 마을 아래로 흐르는 강물을 가리켰다.

"저 아래 동칸폭포가 있었고, 대나무가 둘러쳐져 있어 요새처럼 아늑한 마을이었대요. 집 3채와 의무실 하나에 총 18가구가 살았어요. 동칸폭포에서 고기도 잡고 수영도 하고요. 인근에 광복군 입교자 훈련소인 투차오대土橋隊도 있었다고 해요."

투차오대는 일본 군영에서 탈출한 장준하를 비롯한 학도병들을 가리키는 말이다. 정정화의 『장강일기』에 그 내용이 자세히 나온다.

정정화는 한성부에서 태어나 1910년 어린 나이에 김의한金毅漢과 결혼했다. 남편은 구한말 고위 관료인 김가진의 아들이었다. 김가진은 1919년 상하이임정으로 전격 망명했고, 정정화는 시아버지와 남편을 따라 1920년에 상하이로 망명했다. '연로하신 시아버지를 모셔야 한다'는 일념 때문이었다.

감시를 덜 받는 여성이라는 점 때문에 그는 임정의 독립운동 자금을 모금하는 역할을 맡았다. 이륭양행의 도움으로 중국과 국내를 오가면서 10여 년간 자금 모금책이자 연락책으로 활동했다. 또한 중국 망명 27년 동안 자신의 가족뿐 아니라 이동녕, 김구 등의 임정 요인과 그 가족들을 돌보는 임정 살림꾼 역할을 했다. 임정 요인들이 지속적으로 독립운동을 할 수 있게 뒷바라지한 것이다. 그는 1940년 한국혁명여성동맹韓國革命女性同盟을 조직했고, 충칭의 3·1유치원 교사로도 일했다. 1943년 대한애국부인회大韓愛國婦人會 훈련부장이 되는 등 임정의 대표적인 여성독립운동가였다.

그러나 광복 후의 생활은 순탄치 않았다. 미군정의 홀대 속에 1946년 개인 자격으로 귀국해야 했고, 오랫동안 임정에서 함께 활동했던 김구가 암살당하자 친일파들이 득세한 상황에서 옥살이까지 해야 했다. 남편 김의한은 한국전쟁 중 안재홍安在鴻, 조소앙 등과 함께 납북되었으며, 남한에 남은 정정화는 부역죄로 투옥되어 고초를 겪었다.

정정화는 임정의 잔 다르크라는 별명으로 불렸다. 회고록 『녹두꽃』(개정판은 『장강일기』)을 남겼다. 이 회고록을 토대로 연극 〈장강일기〉와 〈치마〉

1940년 6월 17일 한국혁명여성동맹 창립기념 사진

임정의 잔 다르크로 불린 정정화 가족

〈아! 정정화〉 등 그의 일생을 소재로 한 연극이 공연되었다.

장준하와 학도병 출신들은 임정에 합류했으나 마땅히 묵을 곳이 없어 투차오마을의 한 교회 강당에 숙소를 마련했다. 장준하는 임정 가족 아이들에게 성서와 노래를 가르쳤다고 한다. 정정화를 비롯한 임정 가족들은 이 보물 같은 청년들을 극진하게 보살폈다. 광복군을 창설했지만 숫자가 터무니없이 부족한 상황이었으니 이들이야말로 광복군의 보물인 셈이었다. 이후 이들은 시안으로 가서 OSS Office of Strategic Services(미 전략사무국) 부대에 합류해 국내진공작전 훈련을 받게 된다.

투차오마을은 이후 충칭시에서 공원으로 조성하여 임정 거주지임을 알릴 예정이라고 하니 그나마 다행이다. 리 부관장이 말했다.

"저는 27년 동안 면면히 이어온 임정의 정신을 위대하게 생각해요. 상하이는 비밀활동 시기였고, 항저우는 혼란기로 임시의정원이 정립하는 시기였어요. 창사에서는 불행한 일도 겪었지만 충칭은 황금 시기였죠. 한국광복군도 창설했고요. 다만 한국광복군이 창설되었지만 인원이 적고 무기도 없는 데다 전투 수행능력이 부족해 연합국에 인정받지 못한 것이 안타깝죠."

광복 후, 김구와 임정 요인들은 1945년 8월 17일, 충칭에서 마지막 임시의정원 회의(제39회)를 마쳤다. 김구와 임정 요인들은 임시정부 자격으로 환국하려 했으나, 존 하지John Reed Hodge 미 사령관은 개인 자격을 고집했다. 김구는 상하이를 거쳐 임정 제1진과 함께 11월 23일에 한국으로 돌아왔다.

대한민국임시정부 사적지 연구에 청춘을 바친 리센즈 부관장 덕에 충칭 답사를 무사히 마쳤다. 2019년 3월 29일에 한국광복군총사령부도 개관되었다니 기쁜 일이다. 다음 답사지 시안으로 떠나는 기차역에서 리 부관장이 한 말은 한국을 향한 일침처럼 느껴졌다.

"대한민국이 하나가 되어 강한 나라를 만들어야 동아시아의 일본, 중국, 러시아 사이에서 굳건하게 존재할 수 있다고 생각합니다. 우리는 국익을 위해서 안정된 고국의 목소리를 듣고 싶습니다. 또한 외국에 사는 동포로서 저는 한국에서 임정 야사에 대한 통합되고 정제된 목소리를 듣고 싶습니다. 좋지 않은 한국 이야기들이 가감 없이 들려올 때 외국에 사는 동포들은 가슴이 아픕니다."

중국 국민당을 따라 충칭까지 죽음을 무릅쓰고 걸었던 임정의 고행길. 그때 그들이 꿈꿨던 강한 나라는 과연 지금의 대한민국인가 자문해본다.

6

국내진공작전과 일본의 항복

중국 시안 | 1941년~1945년 8월

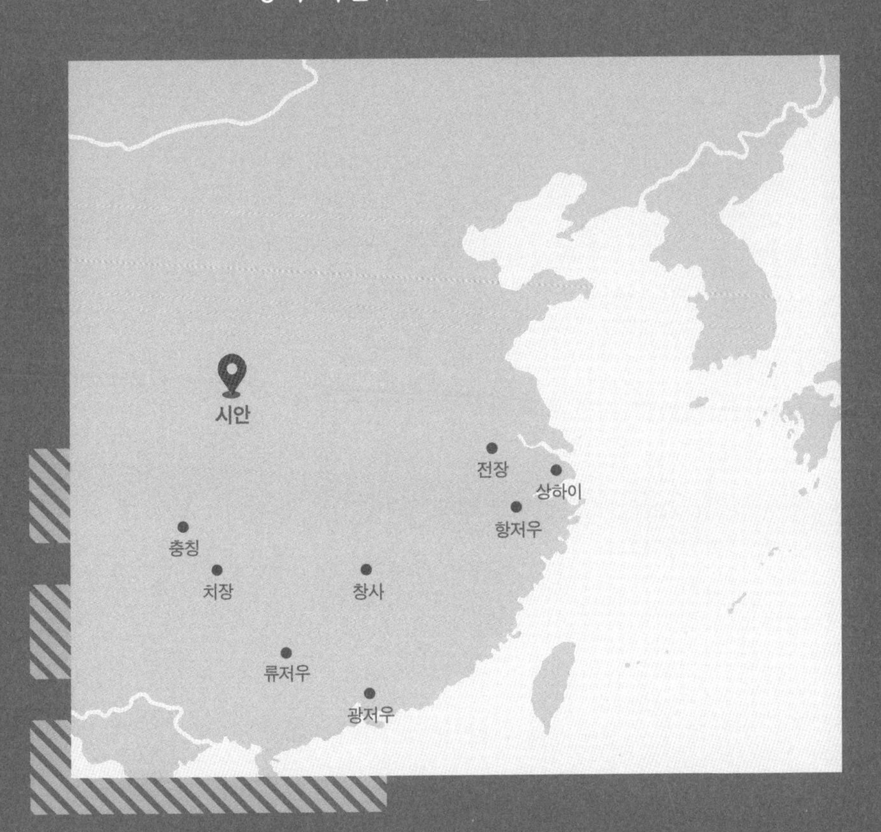

호텔로 변한 시안 한국광복군 사령부 터

충칭에서 밤 기차를 타고 11시간을 달려 시안에 도착했다. 시안을 답사하게 된 것은 시안광복군 제2지대 여군반장을 했던 내 시이모 이월봉李月峰의 흔적을 찾고 싶어서였다.

시안에는 한국광복군 사령부北大街 二府街 4, 광복군제2지대 구지長安區 杜曲東街 105, 한국청년전지공작대 본부二部街 29, 이범석 지대장 숙소杜曲鎮 桃溪堡 64, 임정의 마지막 희망이었고 최후의 연합군 합동작전을 추진했던 OSS 훈련지까지 한국광복군의 흔적이 곳곳에 남아 있었다.

처음 답사한 곳은 숙소에서 가까운 한국광복군 사령부 터였다. 그곳은 호텔이 서 있었고, 아무 표식도 없었다.

1940년 9월 17일 충칭에서 탄생한 한국광복군은 11월에 비행기 공습이 잦은 충칭에서 작전에 편리한 시안으로 자리를 옮기고 네 개의 본부를 두었다.

한국광복군과 광복군 배지 배지 앞면에 광(光), 아래쪽에 K.I.A(Korea Independence Army)가 새겨져 있다. 뒷면은 한국광복군 국내지대사령부라고 새겨져 있다.

1942년 5월, 조선의용대 1지대가 광복군에 편입되고 김원봉은 한국광복군 부사령과 지대장을 겸임했다. 조선의용대는 1938년 중국 한커우에서 김원봉이 조직한 독립무장부대였다. 제1, 제2, 제5지대는 통폐합되어 제2지대로 개편되었다. 제2지대는 이범석이 지대장을 맡아 산시성 일대와 허난성 뤄양 및 산시성 타이위안, 스자좡을 관할했다.

이범석은 고등보통학교 재학 때 중국으로 망명해 1919년 만주 신흥무관학교와 북로군정서北路軍政署에서 연성대장으로 청산리전투에 참전했고, 대한민국임시정부 한국광복군 중장으로 광복군 참모장과 제2지대장으로 활동했다.

광복군 조직은 백산白山 지청천이 총사령관, 약산若山 김원봉이 부사령관, 철기鐵驥 이범석이 참모장(나중에 제2지대장)을 맡았다.

지청천 장군은 YMCA의 전신인 황성기독교청년회皇城基督教青年會 토론회에서 "우리 청년에게 총을 달라."고 토로했을 만큼 혈기가 넘쳤다. 그는 1915년 일본 육군사관학교에서 중위로 임관했으나 3·1운동 소식을 듣고 일본군에서 탈출했다. 독립군 양성기관인 만주 신흥무관학교 교장이 된 그는 개교식에서 감동적인 연설을 했다.

> "조국 광복을 위해 싸우다 힘이 부족할 때에는 이 넓은 만주벌판을 베개 삼아 죽을 것을 맹세합시다."

1920년 이후 줄곧 만주를 무대로 일본군에 맞서 무장투쟁을 전개하던 지청천은 김구와 연이 닿으면서 1940년 창설된 한국광복군에서 사령관을 맡았다.

한국광복군의 대일선전 포고

시안은 한국광복군이 일본에 대항하여 연합군과 손잡고 싸우려고 준비했던 곳이다. 일본이 열흘만 늦게 항복했어도 종난산終南山에서 훈련받은 OSS 대원들이 조국에 들어와 독수리작전을 통한 특수임무를 완수했을 것이다. 작전 개시가 너무 늦어 버렸지만, 한국광복군 특수부대는 이곳 시안에서 국내진공작전의 꿈에 부풀어 있었다.

중국에서 한국 독립운동을 하면서 무엇보다 중요한 것은 중국군대와 협력하는 일이었다. 임정 중심으로 활동하던 한국국민당, 재건한국독립당, 조선혁명당 등은 1940년 4월 한국독립당을 새로 조직하여 내부를 정비하고 독립운동에 역량을 집중했다. 현실적으로 역량을 발휘하려면 정부군인 한국광복군을 조직하는 것이 무엇보다 중요한 과제였다. 김구 주석은 이미 1936년에 중국 측의 승인을 얻어 중국 중앙군관학교 낙양분교에서 한국 청년들을 훈련시켜 건군 준비를 하고 있었다.

大韓民國臨時政府對日宣戰聲明書
吾人代表三千萬韓人及政府、謹祝中英美荷加澳
及其他諸國之對日宣戰、以其為擊敗日本、再造
東亞之最有效手段、茲特聲明如下、一、韓國全體
人民現已參加反侵略陣綫、為一個戰鬥單位、而對
軸心國宣戰、二、重複宣佈無效一九一零年合併條約
及一切不平等條約、並尊重反侵略國家之在韓合
理的既得權益、三、為完全驅逐倭寇於韓國中國及
西太平洋起見、血戰至最後勝利、四、誓不承認日本
卵翼下所造成之長春及南京政權、五、堅決主張羅邱
宣言各條、為實現韓國獨立而適用、因此特預祝民
主陣綫之最後勝利。
大韓民國臨時政府主席 金九
外務部長 趙素昂
大韓民國二十三年十二月十日

1941년 12월 10일 대한민국임시정부 대일선전성명서

1940년 3월 2일, 임정은 광복군 성립계획을 중국국민당 주석 장제스에게 제출했고, 4월 11일 장제스로부터 중국 영토 내에서 광복군 조직을 허락받았다. 장제스는 광복군에 보조까지 해주라는 명령을 내렸다. 임정은 5월에 광복군 훈련대강訓練大綱을 마련하고 준비하여 9월 17일에 한국광복군 사령부를 발족시켰다. 중국 영토 내에서 한국 군대 조직을 허용한 것은 특기할 만한 일이었다. 중국의 정책 변화와 결단이 없으면 불가능했다.

한국광복군은 성립 초기 항일 결전을 위한 전투부대를 편성하고 훈련하는 데 주력했다. 이를 위해 세운 계획은 『애국동지원호회』라는 책에 자세히 쓰여 있다.

첫째, 군사 간부를 대량으로 단기에 양성하며, 국내와 만주, 남북중국에 전원傳員을 파견하여 동포 사병을 소집, 훈련시킬 것. 둘째, 군 창립 1년 후에는 최소한 3개 사단을 편성하여 중·미·영 등 연합군에 교전단체로 참가하여 전투할 것. 셋째, 선전전을 함께 실시하여 지금까지의 투쟁 역사와 현재의 분투 상황을 외부에 알리고, 동시에 적 후방의 동포들이 일어나 총궐기하며 군사 행동에 맞춰 협동하게 할 것 등이었다.

같은 해 11월에는 충칭에 있던 총사령부를 업무 수행이 편리한 시안으로 옮겼고, 각 지대의 편성과 담당 활동 구역도 정했다.

임정과 한국광복군이 해결해야 할 다른 문제도 있었다. 한국광복군과 별도로 조직되어 이미 활동하던 조선의용대는 1941년에 이미 6개 전구, 남북 13개성의 전지공작을 하고 있었다. 특히 적 후방에 침투하여 선전과 파괴 활동으로 전과를 올렸다.

1938년에 결성된 조선의용대의 존재는 광복군을 중심으로 한 한국독립운동 진영의 통일과 대외 관계, 즉 중국과의 군사협정체결에 중대한 장애였다. 재정 기반이 전무한 상태에서 출발한 한국광복군은 중국의 지원 없이는 활동할 수 없었고, 중국의 지원으로 중국 땅에서 군사 활동을 하는 한 중국군과의 관계가 중요했고, 광복군의 지위와 행동 범위에 제약이 있었다.

한국광복군을 조직한 임정 역시 중국을 비롯한 외국 열강으로부터 정식 정부로 승인을 얻지 못한 상태였다. 조선의용대도 중국의 지도와 지원으로 조직되어 전선에서 별도로 활동하고 있어 중국과 한국광복군의 관계는 더욱 미묘한 상태였다.

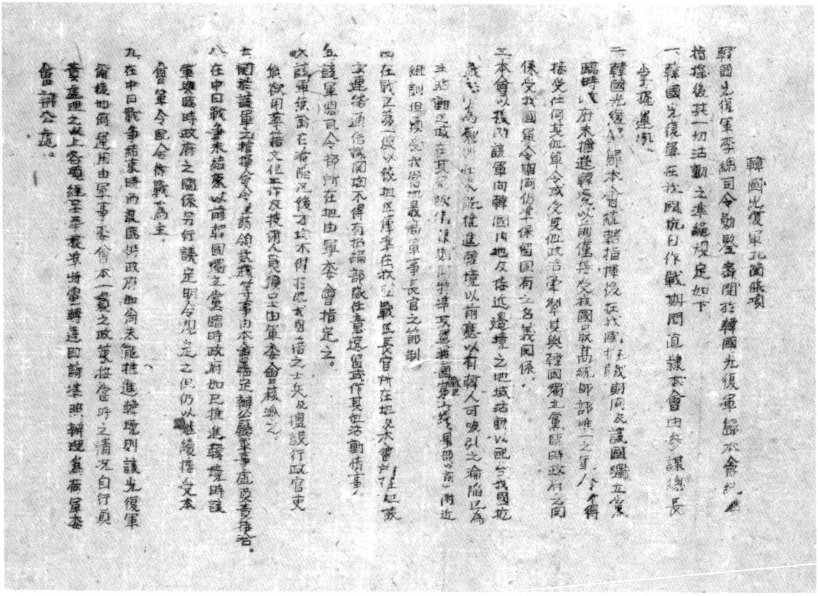
韓國光復軍九箇條項

一、韓國光復軍在我國抗日作戰期間直隸本會由參謀總長掌握運用。

한국광복군 9개 행동준승 규정

이와 같은 독립운동 진영 내부의 대립과 갈등을 해결해야 한국광복군이 중국의 지원을 얻어낼 수 있었다. 임정은 중국 정부의 중요 인사를 통해 군사협정을 체결하려 노력했지만, 중국은 임정의 교섭 제의에 소극적이었고 오히려 간섭이 늘었다.

이러한 문제는 1941년 11월, 중국군사위원회가 일방적으로 '한국광복군 9개 행동준승'을 지시하고 임정이 이를 수락함으로써 일단락되었다. '9개 행동준승'은 한국광복군에 대한 중국군사위원회의 지휘 방침이었다.

하지만 임정은 1943년 2월 20일을 기해 중국 외교부장 쑹쯔원宋子文에게 '한국광복군 9개 행동준승'을 폐지하고 임정을 승인할 것을 요구하는 공문을 임정 외교부장 조소앙 명의로 발송했다. 그 대안으로 '중한호조군사협정초안中韓互助軍事協定草案'을 첨부했다. 이는 한·중 간 군사협정이 대등한 관계에서 이루어지고, 광복군 지휘권을 태평양 전구 중국구 최고 군사장관에게 귀속해야 한다는 주장으로, 임정이 국제사회 일원으로 인정받겠다는 의도를 표시한 것이었다.

임정은 일제를 한반도에서 실질적으로 쫓아내기 위한 구체적인 군사진행계획도 마련했다. 한국광복군과 중국 군대, 그리고 동북한인의용군東北韓人義勇軍과 동북중국의용군東北中國義勇軍이 협동작전을 펼치면서 조직을 확대하고, 만주에서의 무장항쟁 경험과 조직을 인정하고 국군 기간부대로 수용하려 했다. 해외의 모든 무장 역량을 광복군 산하로 통일시켜야 한다는 임정의 대원칙에 따른 것이었다.

> "동북한인의용군 근거지는 북만에 있으며 만주의 한교를 조직, 지도하여 장차 그 실력을 창바이長白, 안투安圖에 집중하고 안펑安奉, 텐투天圖 철도노선에 지대를 파견하여 적군의 교통을 방해하고 중국군이 만주에 진출할 때에는 한국광복군과 합병하여 한국 본토로 진공할 것이다."

한편 국내 공작을 위해 치밀한 계획도 세웠다. 지하군을 설치하고, 비밀지도부는 서울에 두고 용산, 평양, 나남, 대구 등 적의 병사구 소재지 같은 각 요지에 지부를 조직하게 했다. 일본군 내부에서 한국인 군인들이 일군 군사력을 약화시키고 한인애국분자를 흡수하며, 기본 대오는 강원도 산지에 은둔하면서 광복군과 동북의용군 등이 본토를 공격해올 때 적군의 교통 노선을 파괴하고 서울을 점령하며, 우군과 협력하여 적군을 섬멸한다

한국광복군 시안 사무소 간부들

는 계획을 세웠다. 하지만 일본의 조기 항복과 열강들의 협조 부족 그리고 임정 자체의 역량 미성숙으로 결국 실행에 옮겨지지 못했다.

한국광복군 제2지대 본부와 이월봉

시안의 두 번째 답사지는 '한국광복군 제2지대본부 표지석 기념공원'이었다. 산시쉐치엔사범학원陝西學前師範學院 리딩李丁 교수가 차를 가져와 쉽게 찾아갈 수 있었다. 창안취 두취쩐 스퍼춘 관제묘長安區 杜曲鎮 寺坡村 關帝廟 터다. 여기에 1942년부터 1945년까지 한국광복군 시안 제2지대 본부가 있었다. 중국풍 비각 안에 서 있는 검은 대리석 비석이 역사를 증언하고 있었다.

> 韓國光復軍第2地帶駐屯地舊地
>
> 한국광복군 시안 제2지대 본부 옛터
>
> 시안시가 2014년 5월에 이 터에 중국 군인과 함께 일본 제국주의 침략에 맞서 싸운 한국 지사들을 기념해 기념비를 세웠다.

이곳은 광복군 제2지대 여군반장이던 나의 시이모님 이월봉의 활동무

한국광복군 제2지대본부 비각과 기념비

대이기도 해서 각별한 느낌이었다. '광복군 제2지대 본부에서 남자와 똑같은 군복을 입고 똑같은 훈련을 받았다'던 시이모님의 사진을 들고 당시 모습을 잠시 상상해 봤다.

이월봉은 보통 남자들보다 힘이 세고 체격이 다부졌다. 고향은 황해도 황주군 황주면 동천리 402번지로, 아버지 이배근李培根과 어머니 문근文根 사이에서 4남매 가운데 둘째 딸로 태어났다. 이월봉의 아버지는 일꾼을 30명이나 둘 정도로 부농이었으나 농장을 접고 상업에 나섰다가 파산하게 되었다. 이월봉이 보통학교 4학년 때의 일이었다.

4학년을 마칠 무렵, 빚쟁이들이 집에 들이닥치자 이월봉은 숙부를 따라 만주 치치하얼로 떠났는데, 그때부터 시련이 시작되었다. 부모형제가 뿔뿔이 흩어진 가운데 숙부의 도움으로 낯선 곳에서 보통학교에 편입하여 1930년 12월 가까스로 졸업했고, 그 후 곧바로 생활전선에 뛰어들었다.

이월봉은 열다섯 살 때부터 중국 톈진의 한 백화점에서 일하기 시작해 7년 동안 점원으로 있었다. 그때 가깝게 지내던 조선인 동포가 한국광복군에 입대하는 것이 어떻겠냐고 권유했는데, 그는 망설임 없이 곧바로 그러겠다고 했다. 이월봉이 스물두 살 때였다.

그는 허난성 한국청년전지공작대韓國青年戰地工作隊 대원이 되어 훈련받았다. 광복 후 한 기자와의 대담에서 이렇게 이야기했다.

> "제가 워낙 힘이 좋고 건강한 편이어서 나중에는 오히려 남자들을 앞설 정도였어요. 180명이 함께 훈련을 받았는데 훈련성적은 5등 이내였습니다."
>
> - 〈주간경향〉 대담, 1976년 2월 29일

1938년 10월, 이월봉은 한국청년전지공작대 동료 10여 명과 황허 강변에서 일본군 동태를 파악하다가 일본군에 포위되었지만 침착하게 탈출에 성공한다. 1939년 12월 중국군 중앙간부훈련소 학원반을 수료하여 한국광복군 제2지대 여군반장이 되었다. 계급은 소위였다.

> "당시 광복군에 속한 여군들은 여자라고 해서 특수한 임무가 주어지거나 하는 일은 전혀 없었습니다. 남자와 똑같은 일을 했지요. 토치카를 파면 같이 파고,

벽돌을 나르고, 모든 힘겨운 일을 그대로 해냈지요."

-〈주간경향〉 대담

이월봉은 1939년 시안 한국청년전지공작대, 1940년 한국광복군 제5지대 입대, 1941년 중국전시 한청반中國戰時 韓青班 수료, 1942년 시안 한국광복군 제2지대에 편입하여 활동하다 광복을 맞은 이듬해인 1946년 6월, 꿈에도 그리던 고국으로 돌아왔다.

그러나 가족 일부가 북한 황해도 고향 땅에 남은 데다가 광복군 시절 동지들도 뿔뿔이 흩어졌다. 귀국할 때 나이가 31세로 혼기마저 놓쳐 평생 독신으로 살다 1977년 63세를 일기로 생을 마감했다.

한국청년전지공작대와 김구. 1939년 11월 17일

나는 1976년에 시이모님을 딱 한 번 만났다. 당시 결혼 전이어서 광복군이었다는 사실도 몰랐다. 돌아가신 후에야 시댁 식구들에게 이야기를 듣게 되었다. 안타까운 마음으로 이번 답사 일정에서 이월봉의 흔적을 찾아보게 된 것이다.

한국광복군 제2지대 본부와 이월봉(원 안). 한국광복군 제2지대 사열식

이범석 장군은 가고
옛 집터는 남다

시안의 이범석 제2지대장 관사 옛터는 주소를 잘못 알고 가서 한참을 헤매다 지나가는 사람에게 물어 간신히 찾아낼 수 있었다. 하지만 문이 굳게 닫혀 있었다. 주변엔 흙벽으로 된 옛집이 많았지만, 이범석 지대장 관사 터는 말끔한 신축 건물로 바뀌어 있었다. 집주인은 낯선 방문자를 경계하는지 벨을 눌러도 기척이 없었다. 이웃에 사는 중국 노인 류 씨가 "이 집을 짓기 전엔 흙벽돌로 된 낡은 집이었는데, 중일전쟁 때 한국 군인이 살았다는 말을 부친에게 들었다"고 했다. 제2지대 숙소 터도 찾았으나, 그곳에는 아파트가 들어서 있었다.

광복군 참모장과 제2지대장이었던 이범석은 경성고보(경기고의 전신) 재학 시절인 1915년 여름, 독립운동에 참여할 청년을 물색하던 여운형을 만나 중국 망명을 결심했다. 상하이에서 만난 신규식의 주선으로 1916년 쿤밍에 있던 윈난 육군 강무당講武堂에 진학해 기병과 수석으로 장교가 되었다.

그는 3·1운동 소식을 듣고 동기생 4명과 함께 상하이임정을 찾아갔다. 이후 김좌진 장군의 북로군정서에 중대장으로 합류해 1920년 청산리대첩에서 일본군을 격파했다. 광복 후 1948년 대한민국 초대 국무총리 겸 국방부 장관을 지냈다.

종난산 OSS 훈련 끝, 이제 조국으로 돌격하자!

시안 남쪽에 있는 종난산을 찾았다. 시안 시에서 버스를 타고 외곽으로 40여 분 달려간 곳은 미퉈구스彌陀古寺(장안취 난우타이지에도 싱화춘)가 있는 종점이었다. 미퉈구스 뒷산에 있었다는 광복군 OSS 대원들의 낙하 훈련 장소를 찾기 위해서였다. 광복군 OSS 대원들은 국내진공작전을 위해 특수훈련을 받았다. 일명 독수리작전Eagle Project이라 부른 한미연합작전을 위한 훈련이었다.

1945년 2월 미국 워싱턴 OSS의 검토를 거쳐 미군의 중국전구사령부Headquarters, US Forces, China Theater에 보고되었고, 한국광복군 OSS 대원들은 국내진공의 부푼 꿈을 안고 훈련했다. 당시 훈련을 담당한 싸전트 소령은 한국광복군의 능력을 높이 평가했다. 중국군과 비교될 정도로 훈련과정을 신속하게 마쳤다고 기록했다.

미국 문서에는 종난산 위치가 이렇게 기록되어 있다.

미타고사 뒤쪽 산에서 OSS 대원들이 특수훈련을 받았다.
훈련장으로 가는 종난산 길

"독수리작전을 위한 OSS 훈련지는 종난산 깊숙이 자리하고 있었다. 책임자는 미군 클라이드 싸전트 소령이며, 그 휘하에 영관 · 하사관 20여 명이 3개월 동안 OSS 대원들에게 특수훈련(도강술 · 게릴라전법 · 낙하연습 · 특수 은폐 및 엄폐법)을 시켰다. 광복군 2지대가 주둔하던 작은 절에서 400m가량 떨어진 곳이다."

그 작은 절이 미퉈구스다. 미퉈구스 뒤쪽 낙하 훈련을 했던 절벽으로 가기 위해 종난산 등산로를 따라 계속 걸었다. 점점 길이 가팔라졌다. 드디어 수직에 가까운 절벽이 아찔하게 눈에 들어왔다.

일본의 항복, 때늦은 독수리작전

한반도에서 일본군을 몰아내려던 국내진공작전은 8월 6일 일본 히로시마와 9일 나가사키에 잇달아 원자폭탄이 투하되면서 무산됐다. 일본은 8월 10일 스위스에 자리한 국제연맹(유엔 전신) 본부에 포츠담선언을 수락하겠다는 의사를 전달했다. 국제연맹은 연합국에 이 사실을 바로 알렸다.

일본이 포츠담선언을 받아들이겠다고 통보한 날 당시 기록을 보면, 1945년 8월 10일 싸전트 소령이 상기된 얼굴로 대장실에 들어오며 이렇게 소리쳤다.

"기뻐하시오. 일본이 항복하기로 했소. 항복하겠다고 통보했단 말이오."

그 자리에 김구가 와 있었다. 김구가 충칭에서 시안으로 와 있었던 것이다. 싸전트는 환호했지만, 김구는 아득했다. 김구는 그때의 심회를 『백범일지』에서 이렇게 적었다.

> 아, 왜적이 항복!
> 이것은 내게는 기쁜 소식이라기보다는 하늘이 무너지는 듯한 일이었다. 천신만고로 수년간 애를 써서 참전할 준비를 한 것도 다 허사다. 시안과 부양에서 훈련을 받은 우리 청년들에게 각종 비밀한 무기를 주어 산둥에서 미국 잠수함을 태워 본국으로 들여보내어서 국내의 요소를 혹은 파괴하고 혹은 점령한 후에 미국 비행기로 무기를 운반할 계획까지도 미국 육군성과 다 약속이 되었다. 그러나 그 작전을 한 번도 해보지도 못하고 왜적이 항복하였으니, 진실로 전공이 가석하거니와 그보다도 걱정되는 것은 우리가 이번 전쟁에 한 일이 없기 때문에 국제간 발언권이 박약하리라는 것이다.

1945년 9월 30일 OSS 이범석과 제2지대 대원들과 OSS 미교관들
앞줄 왼쪽부터 노태준, 싸전트, 이범석, 안춘생, 노복선, 3열 가운데 이재현

일본이 조금만 항복을 늦게 해서 독수리작전이 성공했더라면 한국은 참전국의 권리를 누릴 수 있었을 것이다.

독수리작전에 대해 중국 주둔 전략첩보국장 리처드 해프너Richard Heppner 대령이 1945년 8월 14일 중국전구 OSS부책임자 윌리스 버드Willis Bird 중령에게 보낸 '한국 파견 임무의 승인에 관련한 전문'이 있다.

> 중국전구는 한국에 대한 귀하의 임무를 승인하였습니다. 귀하의 가장 중요한 첫째 임무는 경성127-00, 인천126-37, 부산129-02, 35-07의 수용소에 있는 전쟁포로들과 접촉하는 것이고, 철수에 대한 병참 지원과 철수계획안을 수립하는 것입니다.

새로운 내용: 이범석 장군에게 귀하가 도노번William J. Donovan의 특별 감독 아래 독수리작전에 참여하고 있다고 강조하십시오.

이범석과 광복군 국내정진대 선발대는 8월 15일 오후 4시에 시안비행장으로 향했다. 국내로 들어가 일본 항복 예비접수대 역할을 하기 위해서였다. 히로히토 일왕이 항복 선언을 한 지 불과 4시간 뒤였다. 이범석은 이때의 비장한 심정을 담아 흰 손수건에 이렇게 썼다.

苟存猶今 志在報國 구존유금 지재보국

아직 구차히 목숨을 유지한 것은 나라에 보답하기 위함이다.

비행기는 8월 16일 오전 4시에야 이륙한다. C-47 수송기에는 한반도 상공에서 일어날지 모르는 만일의 사태에 대비하여 기체를 가볍게 하기 위해서 한국광복군은 네 명만 탑승시켰다. 이범석 광복군 제2지대장과 김준엽, 장준하, 노능서魯能瑞였다.

김준엽은 1944년 일본 게이오대학 동양사학과 2학년 때 학도병으로 강제 징집되어 중국 장쑤성 쉬저우시에 배치되었다. 그는 일본군 부대에서 단독으로 탈영하여 학도병이었던 장준하와 함께 수천 리를 걸어 충칭임정을 찾아가 광복군이 되었다. 김준엽은 광복 후 헌법에 임정 법통을 계승한다는 조항을 넣은 사람이다.

장준하는 평북 선천 출생으로 1944년 일본군에 징집되어 중국 쓰저우 지구에 배속되었으나 6개월 만에 탈출해 한국광복군 간부 훈련반에서 훈련을 받은 후 시안 한국광복군 제2지대에 배속되었다. 노능서 역시 광복

광복군 왼쪽부터 노능서, 김준엽, 장준하

군으로 장준하, 김준엽과 함께 활동했다.

김준엽은 1987년 독립기념관 개막식 축사에서 이렇게 말했다고 한다.

"고국을 위하여 희생한 독립운동가들을 정치적으로나 경제적으로 절대 이용하지 말라."

36년 만에 조국 땅을 밟은 광복군 국내정진대

광복군 국내정진대 4명이 탄 수송기는 8월 16일 오전 4시경에 시안비행장을 이륙했다. 한국으로 향하던 C-47 수송기는 산둥반도 상공을 지날 때 쿤밍으로부터 갑작스러운 무전을 받았다.

"한국 진입 중지."

수송기는 오후 5시 30분쯤 다시 시안으로 돌아왔다. 14일 아침 도쿄만에 진입하던 미국 항공모함이 일본 특공대의 공격을 받았기 때문이었다. 국내정진대의 안전을 걱정한 사령부가 진입 중지를 명령한 것이다.

시안으로 돌아온 선발대는 실망 속에 하루를 보냈다. 17일에도 비행기 고장으로 지루한 시간을 보내야 했다. 버드와 이범석은 고장 난 C-47 수송기 대신에 C-46 수송기를 보내달라고 충칭에 요청했다.

한국광복군 4명을 포함에 총 22명이 탄 C-46 수송기는 8월 18일 새벽에 시안 비행장을 이륙해 오후 3시에 서울 여의도 비행장에 착륙했다. 장

1945년 8월 19일 한국광복군 정진대 산둥성 비행장에 도착한 모습

준하가 기록한 시간은 오후 2시 18분, OSS 기록은 오전 11시 56분이었다. 나라를 빼앗긴 지 36년 만에 광복군 4명이 조국 땅을 밟은 것이다.

비행기가 착륙하기 직전, 그때의 감격을 장준하는 이렇게 표현했다.

> "아… 보인다! 한국이! 모두들 옹색한 기창(비행기 창문)으로 쏠렸다. 손바닥만 한 기창 밖으로 아련히 트인 황해가 푸른 잠을 자고 있었고, 그 광활한 푸르름 아래 거뭇거뭇한 섬들이 나타나기 시작하였다."
>
> -『광복군 장준하』에서

일왕 히로히토가 항복을 선언했지만, 서울의 일본군은 여전히 건재했다. 8·15광복 이후 조선 민중의 봉기를 우려해 도리어 치안권을 강화한 상황이었다. 광복군 국내정진대는 일본의 반대로 여의도에서 하룻밤을 보낸 뒤 다시 미군 수송기로 여의도 비행장을 출발해 산둥성 유현 비행장을 거쳐 다시 시안으로 돌아가야 했다.

개인 자격으로 귀국한 대한민국임시정부 요인

27년간 중국에서 광복의 그 날만을 애타게 기다리던 임시정부는 해방의 기쁨도 잠시였다. 광복되었지만, 고국으로 쉽게 돌아갈 수도 없었다. 한반도 북쪽엔 8월 20일을 기해 소련군이 원산으로 들어와 24일에 평양을 점령했다. 바로 다음 날 미군 일부도 인천으로 들어왔다. 미국과 소련이 38도선을 경계로 한반도를 분할한다는 소식을 들은 임정은 점점 더 암울해지는 고국 소식에 안타까움이 깊어갔다. 그로부터 닷새 후 미 극동사령부는 남한에 군정을 실시한다고 밝혔다.

연합군 최고사령관 맥아더는 일본의 항복문서를 넘겨받고 일본 도쿄 히비야공원 옆에 연합군 최고사령부를 설치했다.

남북으로 나뉜 한반도는 북쪽은 소련, 남쪽은 미 극동사령부의 군정이 실시되었다. 미군정은 임정이 엄연히 존재하는데도 일본 앞잡이들을 그대로 관리로 임용했다. 임정 요인들과 가족들에게는 가슴을 치는 일이었다. 미군정은 중국 임정 요인들에 관심을 두지 않았고, 중국에서 귀국 준비를 하던 임정 요인들은 미군정과 연락이 닿지 않았다. 중국 정부가 임정의 귀국을 위해 애썼지만 쉽게 해결되지 않는 상황에서 미국에 있던 이승만이 10월 16일 귀국했다.

1945년 11월 3일 임정 환국 기념사진

미군정은 해방된 지 두 달이 지날 때까지도 중국에 있는 임정에 대해 아무 조치를 하지 않다가 귀국을 허용했는데, 주석과 부주석, 국무위원, 부장 및 수행원 약간을 포함한 10여 명만 허락했다. 그것도 임정 이름으로 귀국하는 것이 아니라 개인 자격으로 허락한 것이다. 임정은 참담했다. 전체가 돌아가지도 못하는 데다 그나마도 개인 자격으로 들어오라는 조건부였으니 기가 막힌 일이었다. 그래도 빨리 귀국해야 했다. 결국 11월 5일에 충칭에서 출발한 주석과 요인들은 상하이에서 20여 일을 또 기다려야 했다.

11월 하순 서울에 돌아왔지만 언론에 보도되지 않는 쓸쓸한 귀국이었다. 상하이에서는 환영받았지만 그토록 그리던 조국에 발을 디딘 날은 환영객도 없었다.

충칭에 남은 임정 가족들은 다음 해 1월 중순에야 충칭을 떠나 육로 3,000리 수로 3,000리 사지를 넘나들며 충칭까지 갔던 그 길을 되짚어서 2월 29일에 상하이에 도착했다. 그러나 상하이를 떠난 건 1946년 5월 9일

1945년 11월 5일 고국에 돌아가기 위해 상하이 강안비행장에 모인 임정 요인과 가족들

1946년 4월 충칭 임정주화대표단 박찬익 외 환국 기념회

이었다. 영광의 귀국선이 아니라 난민 자격으로 미군 수송선에 짐짝처럼 실려 처량한 신세로 돌아왔다. 조국 독립을 위해 남의 나라에서 목숨까지 바친 분들과 함께 죽을 고비들을 넘기며 버텨온 임정 가족들은 전쟁 난민

이라는 서글픈 자격으로 부산항에 도착한 것이다.

꿈에 그리던 조국은 임정 가족들을 반겨주지 않았다. 미군정에 빌붙어 떵떵거리는 사람들은 거의 다 친일파였다. 친일파들에게 임정 가족들은 떳떳지 못한 아킬레스건일 수밖에 없었으니, 임정 가족을 더 참혹하게 핍박하고 쳐내는 게 이들의 생존전략이었다. 이런 상황이었으니 조국에 돌아와서도 일본 앞잡이들의 야비한 등쌀에 우리가 독립운동을 했노라고, 우리는 자랑스러운 독립운동가라고 말하는 자체가 위험한 일이었다.

시성 두보기념관에서 '춘망'을 읽다

시안 답사 일정이 하루만 남은 날, 김월배 교수가 마지막 밤은 광복군 사령부가 있던 호텔에서 보내자고 제안했다. 흔쾌히 승낙하고 호텔을 옮겨 짐 정리를 하는데 김 교수가 문자를 보내왔다.

"문 작가님, 오늘이 시안 답사 마지막입니다. 오늘은 제 마음대로 작가님을 모실 테니 따라만 오십시오."

7박 8일 동안 나를 안내한 김 교수의 제안이 무엇인지 궁금했지만 묻지 않고 무작정 따라나섰다. 전날 김 교수가 마지막으로 보고 싶은 게 있냐고 물었을 때, 어린아이처럼 혹시 판다를 볼 수 있느냐고 대답했다. 나는 내심 동물원에 가는 게 아닐까 궁금했다. 하지만 그렇게 기대한 내가 무식했음을 나중에야 알게 되었다. 판다를 보려면 중국 중남부 삼림지대에나 가야 한다고 한다.

도대체 나를 어디로 데려가는 걸까. 버스에서 내리니 뜻밖에도 두보기념관이었다. 김 교수는 내가 글을 쓰는 사람이니 두보의 시를 만나보는 게 의미 있을 것 같다고 말했다. 중국에서 이백은 시선詩仙으로 불리고 두보는 시성詩聖으로 통한다는데, 여기서 두보를 만나다니 새삼 김 교수의 배려가 고마웠다.

내 짧은 실력으로는 감히 시성 두보의 시들을 다 이해할 수 없었다. 많은 시 중에 유독 임정 답사와 맞아떨어지는, '춘망春望' 시구가 마음에 와닿았다. 춘망, 봄에 소망하는 것.

춘망春望

國破山河在 국파산하재

城春草木深 성춘초목심

感時花濺淚 감시화천루

恨別鳥驚心 한별조경심

烽火連三月 봉화연삼월

家書抵萬金 가서저만금

白頭搔更短 백두소경단

渾欲不勝簪 혼욕불승잠

나라가 망해도 산과 강물은 그대로이고,

성 안에는 봄이 깊어 나무와 풀만 무성하도다.

시절이 슬퍼서 꽃을 보아도 눈물이 흐르고,

이별을 슬퍼하니 새소리에도 깜짝 놀란다.

봉홧불은 석 달째 계속 타오르니,

집에서 보낸 편지는 만금보다 값비싸네.
흰머리는 긁어서 더 짧아지니,
다 끌어모아도 비녀를 꽂기 어렵겠네.

어쩌면 이 시가 임정을 이끈 요인들과 그 가족들의 심회와 이리 닮을 수 있을까 싶었다. 김월배 교수가 이런 시를 내게 읽히려고 나를 이곳으로 안내한 듯한 착각이 들 정도였다.

두보가 44세 때 안녹산安祿山의 난이 일어났다. 두보는 포로가 되어 장안에 연금되었다가 1년 만에 탈출하여 새로 즉위한 황제 숙종肅宗에게 갔고 관직에 오르게 되었다. 관군이 장안을 회복하자 조정에 나갔지만 1년 만에 화저우 지방관으로 좌천되었다. 그 후 대기근을 만나 48세에 관직을 버리고 식량을 구하기 위해 처자와 함께 옮겨 다닌다. 간쑤성 친저우, 퉁구를 거쳐 쓰촨성 청두에 정착해 완화초당浣花草堂을 세우고 살았다.

54세 때, 귀향할 뜻을 품고 청두를 떠나 양쯔강을 따라 쓰촨성 동단 쿠이저우의 협곡에서 2년 동안 지내다가 다시 협곡에서 나와, 이후 2년간 후베이, 후난의 수상水上에서 방랑을 계속했다. 배 안에서 병을 얻은 두보는 둥팅호에서 59세를 일기로 병사했다.

광복군 사령부 터의 호텔에서 마지막 밤을 보냈다. 호텔이 유난히 한산해서 항상 이렇게 손님이 없느냐고 물었다. 그 대답이 또 큰 의미를 더한다. 우리가 마지막 손님이라는 것이다. 바로 다음 날부터 리모델링 공사를 시작한다고 했다. 우연의 일치라지만, 이 호텔도 또 하나의 역사를 우리와 함께 한다는 사실이 이번 답사의 대미를 장식했다.

대한민국 서울, 꽃다운 이름과 향기로 영원히 잠든 의사들

임정 수립 100주년의 의미를 되새기며 러시아 연해주에서 시작한 답사여행은 중국 상하이, 자싱, 항저우, 충칭을 거쳐 시안까지 숨 가쁘게 달린 여정이었다. 귀국한 다음 날, 집에서 가까운 효창공원을 돌았다.

효창공원은 처음에는 창묘昌墓로 불렸다. 조선 정조正祖의 맏아들 문효세자文孝世子의 무덤이 있었다. 그 후 문효세자 생모인 의빈성씨 묘와 순조의 후궁인 숙의박씨 묘, 숙의박씨의 소생인 영온옹주 묘가 있었고, 1870년에 효창원孝昌園으로 승격되었다.

본래 이곳은 청파동과 효창동 일대로 수림이 울창했다. 일제강점기 일본 군대가 불법으로 주둔하면서 수림을 훼손하기 시작했고, 1945년 3월에는 묘들을 서삼릉으로 강제로 옮기고 이곳을 효창공원으로 만들었다. 바로 앞에는 효창운동장을 만들었다. 광복 후 김구는 이봉창, 윤봉길, 백정기 세 의사의 유해를 이곳에 모시면서 가장 먼저 안중근 의사의 허묘를 만들었다. 1948년에는 임정 요인인 이동녕, 차이석, 조성환의 유해를 모셨다. 1949년에는 김구의 유해도 이곳에 묻혔다. 1990년 삼의사 묘역 앞에 순국선열 7위의 영정을 모신 의열사義烈祠를 건립했다.

27년간의 임정 사적지를 돌아본 후라 의열사에 들러 선열들 앞에서 예전과 다른 각오로 묵념을 했다. 삼의사 묘역에는 동진의 고사성어 '유방백세流芳百世'라는 글자가 돌 제단에 새겨져 있다. '꽃다운 이름과 향기가 영원하다'라는 뜻이다. 이봉창 의사, 윤봉길 의사, 백정기 의사께 다시 머리를 숙였다. 안중근 허묘 앞에 서자 안중근 의사의 음성이 들리는 듯하다.

> "내가 죽거든 내 뼈를 하얼빈공원 곁에 묻어두었다가 우리 국권이 회복되면 고국으로 반장해다오."

임정 수립 100주년인 2019년, 남북이 합의하여 곳곳에서 안중근 의사 유해 찾기를 한다고 떠들썩하다. 진심으로 안중근 의사의 유해 찾기에 성공하기를 간절히 빌어본다.

> 간절한 마음으로 안중근의 유해를 찾아라!
> 민족과 국가의 자긍심, 자존감을 세워준 대한국인 안중근
> 그의 위대한 정신과 사상을 계승, 발전시켜
> 대한민국, 대한국인의 밝은 미래를 위한 동력으로 삼자!

삼의사 묘에서 내려와 임정 요인 조성환, 차이석, 이동녕이 묻힌 곳으로 발길을 옮겼다. 전엔 느끼지 못했던 새로운 떨림이 온몸을 휘감았다. 앞

(위)삼의사 묘 (아래)새로 단장한 안중근 허묘

으로 일제가 훼손한 효창원을 재정비해 성역화한다니, 그나마 이곳에 누워 계신 임정 요인들께 덜 미안한 생각이 든다. 이제 나부터라도 효창공원이라 부르지 말고 원래의 이름대로 효창원이라 불러야겠다는 생각이

7위 선열(김구, 이봉창, 윤봉길, 백정기, 조성환, 차이석, 이동녕)을 모신 효창원 의열사

들었다.

대한민국임시정부 수립 100주년은 지금 우리에게 어떤 의미가 있을까. 임정은 27년간 오로지 조국 광복이라는 한 가지 목표를 향해 매진했다. 특히 윤봉길 의거 이후 중국 국민당의 지지를 얻어 긴밀한 관계를 유지했고, 1943년 11월 27일 카이로선언에서 한국 독립 결의를 끌어낸 것도 큰 성과였다. 그러나 파벌 갈등과 내부 불화는 지금도 거울에 비춰 봐야 할 큰 오점이었다.

임정 수립 100주년을 자축하기에 앞서 열강이 몰려오던 구한말에 왜 우리는 나라를 잃어야 했는지 통렬한 자기반성이 필요하다. 임정을 비롯한 수많은 애국선열의 헌신 덕분에 나라를 되찾았다. 하지만 100년이 지난 지금 한반도는 남북으로 나뉘어 있고 여전히 4대 강국에 둘러싸여 있다. 우리 내부에서도 이념, 지역, 세대, 남녀 갈등이 겹쳐서 통합은커녕 분

열을 거듭하고 있다.

장정을 마무리하면서 "독립은 주어지는 것이 아니라 쟁취하는 것"이라고 일갈했던 단재 신채호의 말이 떠올랐다. 동시에 "역사를 잊은 민족에게는 미래가 없다"는 말도 줄곧 입가에 맴돈다.

부록

중국 내 임시정부기념관

상하이 루쉰공원

우강 원장

상하이 루쉰공원 운영자들은 윤봉길 의사 의거를 기리며 한중 양국 간 우호 증진에 긍정적인 역할을 했다.

1908年 6月 21日，尹奉吉义士于大韩民国 忠清南道 礼山郡 德山面一个 5男 2女 的家庭中作为 长男 出生。尹义士号 梅轩。1932年4月 29日，韩国抗日英雄 尹奉吉义士 在中国上海虹口公园 炸死、炸伤侵沪日军司令白川义则大将等日本军政要员7人。尹义士当场被捕，并于同年 12月 19日 在日本金泽县三小牛陆军兵工业场就义，年仅 25岁。

恐怕很少有人想到在尹奉吉义士被关押的七个多月里，所忍受的煎熬远胜过面对死亡的时刻；也没有人知道，他被秘密押往日本金泽、秘密枪杀、秘密安葬的经过。但是，很难想象如此年轻的生命，在历尽煎熬之后，靠着光复祖国的坚定信念，一个人孤独走向生命尽头的悲壮与凄凉。在当时，这起“虹口爆炸事件”震惊了全世界，表明了韩国人民争取民族独立的斗争精神，鼓舞了中韩人民抗击日本帝国主义侵略的斗志。

1992年8月24日，中韩建交。1994年7月，为了推动中韩友好关系的发展，为了纪念这位抗日英雄，由虹口区区政府出资，在上海鲁迅公园原虹口公园内建造了高丽风格的梅亭和遍植梅花的梅园。2009年4月，“梅亭”更名为“梅轩”。梅轩亭内主要展览了尹奉吉义士的生平、义举的历史背景、经过和影响、以及后人纪念义士的情况。

梅园建成至今，已接待了不计其数的韩国各界政要、各个大、中、小学以及各民间团体和散客，韩国前任多位总统也曾来梅园瞻仰过尹奉吉义士的铜像。明年是韩国独立运动100周年，在此之际我们缅怀英雄，铭记英雄，学习英雄，祝中韩两国人民世代友好！谢谢。

1908년 6월 21일 윤봉길 의사는 대한민국 충청남도 예산군 덕산면에서 5남 2녀 장남으로 태어났다. 윤 의사의 호는 매헌이다. 1932년 4월 29일 한국 항일영웅 윤봉길 의사는 중국 상하이 훙커우공원에서 상하이를 침략한 일본군 사령관 시라가와 요시노리 대장 등 일본군 군정 요원 7명을 폭살시켰다. 현장에서 체포된 윤 의사는 같은 해 12월 19일 일본 가나자와현에서 미츠코지 육군공병대에 의해 순국했다. 당시 겨우 25세였다.

아마도 윤봉길 의사가 수감된 7개월여간, 감내할 수 있는 인내심이 죽음보다 훨씬 낫다고 생각하는 사람들이 적지 않을 것이다. 어떤 사람도 알지 못했다. 윤봉길 의사는 일본 가나자와에 비밀리 수감되었고, 비밀리 총살되어 비밀리에 안장되었다. 그토록 젊은 생명은 조국 광복을 향한 확고한 신념으로 고독하고 쓸쓸하게 삶을 살아온 것이다. 생각하기도 어렵다.

효창원 윤봉길 의사의 묘

당시, '상하이 훙커우공원 폭살사건'은 전 세계를 놀라게 했고, 한국 국민의 독립 투쟁정신을 표명했으며, 일본제국주의 침략의 투지에 대한 저항과 반격은 한중 국민을 고무시켰다.

1992년 8월 24일 한중이 수교했다. 1994년 7월 한중 우호 증진과 윤봉길 항일 영웅을 기리기 위해 상하이 훙커우구 구청이 출자하여 루쉰공원 내에 한국 양식의 매정梅亭과 매화나무밭을 만들었다. 2009년 4월 매정은 '매헌梅軒'으로 개칭했다. 매헌 안에는 윤봉길 의사의 생애, 의거의 역사적 배경, 경과와 영향, 그리고 후세의 기념과 정황 등이 주로 전시됐다.

매헌은 건립 이후 지금까지, 헤아릴 수 없는 수많은 한국 정계, 대학, 중고등학교, 초등학교 및 각 민간단체와 자유여행객들이 찾아온다. 아울러 한국의 전임 대통령들도 매헌에 와서 윤봉길 의사의 동상을 참배하고 우러러보았다. 올해는 대한민국 독립운동 100주년을 맞았다. 영웅을 기리고 영웅을 배우면서, 한중 양국 국민의 친선을 기원한다!

자싱 김구 피난처

왕미나 해설사

1919년 3월 1일 한국에서 일어난 폭발적인 반일 시위가 널리 퍼지자, 일제는 이를 유혈 진압했다. 3·1운동 실패 후 한국 애국자들은 대거 중국으로 망명했다. 그해 4월 김구는 상하이에 왔다. 갓 출범한 대한민국임시정부 초대 경무국장을 지내고, 주석이 되었다.

1932년 4월 29일, 일본인들은 상하이 훙커우공원에 모여 일왕 생일인 '천장절'과 1·28상하이사변으로 거둔 군사적 승리를 축하했다. 김구는 한국 항일지사 윤봉길을 식장에 잠입시켜 중국 침략을 주도한 일본 사령관 시라가와를 폭사시키고, 우에다 겐지, 시게미쓰 등 고급 장교를 살상했다.

이 사건 후 일본군은 미친 듯이 상하이 한국 교민과 중국인을 체포했다. 김구는 일본의 한인 보복을 저지하기 위해 자신이 이 사건의 책임자임을 공개적으로 선포했다. 일본군은 김구를 잡기 위해 60만 원의 현상금을 내걸었다. 김구가 체포당할 위급한 순간에 자싱의 애국 민주인사인 주푸칭이 생명의 위험을 무릅쓰고 김구를 피난처로 이동시켰다.

김구가 자싱에 막 착했을 때, 주푸칭 장남인 주펑장에게 부탁하여 오룡

르후이교 17번지 자싱 임정요인과 가족 거주지

교 남쪽의 수륜사 공장에 김구를 보내 잠시 머물게 했다. 당시 이 견직공장은 운영하지 않는 상태로, 몇 명이 공장을 지키며 머물고 있었다.

그곳에서 한동안 지내던 김구는 맞은편 호숫가에 집 한 채가 있고 풍경이 아름다운 것을 보고 주펑장에게 누구 집인지 물었다. 그가 '친척집'이라고 대답하자 김구는 민가로 옮겨가 살 수 있는지 물었다. 주펑장은 곧 첸둥성의 집으로 김구를 옮겼다. 대외적으로는 김구를 광둥 사람 장 씨라고 불렀는데, 당시 그곳 사람들이 광둥어를 알아듣지 못했기 때문이다.

김구는 첸둥성의 집을 매우 만족스러워했다. 그는 첸둥성에게 대한민국임시정부의 다른 구성원들도 살 수 있는 집을 찾아 달라고 부탁했다. 첸둥성은 남문 앞 르후이교에 작은 뜰이 있는 집 한 채가 여러 해 동안 사람이 살지 않는 것을 알게 되었다. '여우신을 부린다鬧狐仙'는 집으로 감히 살

사람이 없었다. 나중에 집주인을 찾아 광둥 친구들이 자싱에 살고 싶어 세내겠다고 했다. 그후 임정 인사들 일부가 그곳에서 살면서 김구와 가까이 지냈다.

1932년 7월 일본 상하이영사관에서 파견한 사복경찰이 상하이 연선선항을 수색했다. 주푸청은 김구를 안전하게 보호하기 위해 며느리 주자루이朱家蕊 친정인 하이옌 난후南湖로 이전시켰다.

당시 주자루이는 젊은 여인으로 어린아이가 있었는데, 김구와 함께 하이옌까지 동행했다. 당시 사회 관습으로 보면 모르는 남녀가 함께 하는 것이 쉽지 않은 일이었다. 하지만, 이를 거절하지 않고 중한 공동의 항일대업에 나선 것이다. 그는 생사를 건 위험 속에서 김구와 함께 산을 넘고 군경의 검문을 피하면서 무사히 난후에 도착했다. 김구는 그곳에서 가장 위험한 반년을 보냈다. 김구는 『백범일지』에 이렇게 썼다.

> "나라가 독립된다면 내 자손이나 내 동포 중 누가 저 부인의 정성과 친절에 감사하지 않겠는가. 영화를 찍을 수는 없지만 문자로 남겨 전해 줄 수밖에 없다. 그리하여 이 일을 기록하여 후에 기념으로 삼고자 한다."

김구는 반년 동안 하이옌에 살았지만 경찰에 발각되자 다시 자싱으로 돌아와 첸둥성의 수양아들 순꾸이롱孫桂榮의 집에서 지냈다. 김구는 순꾸이롱에게 시내에 가서 신문을 사 오라는 심부름을 자주 보냈고, 신문을 읽으며 국제 정세를 파악했다. 순꾸이롱의 회고에 의하면, 엄항섭이 자주 배를 타고 와서 김구와 만났는데, 한번 오면 한나절씩 이야기를 나누었다고 했다.

1933년 메이완가로 돌아온 김구의 신분이 동문에서 예기치 않게 노출되자, 주푸청은 뱃사공 주아이바오와 부부로 위장하게 했다. 일본 군경이 순찰할 때마다 배 위에서 덮개를 덮고 지내게 했으며, 배를 타고 운하로 나가 난후에 떠 있었다.

김구는 회고록에서 자신도 모르는 사이에 주아이바오와 부부 같은 감정을 느꼈다고 썼다. 자싱을 떠난 김구는 그와 함께 난징에 가서 광둥 출신 골동품상 부부로 가장하여 피난 생활을 계속했다. 난징이 일본에 함락된 후, 김구는 창사에 가면서 주아이바오를 잠시 자싱으로 돌아가게 했다. 나중에 반드시 만날 수 있으리라 생각했지만, 아쉽게도 연락이 끊겨 평생 만나지 못했다. 어려운 시절, 떠돌아다니던 김구를 안전하게 보호한 자싱의 평범한 뱃사공 아가씨의 깊은 우정에 짙은 갈채를 보낸다.

김구의 자싱 피난 반세기 이후, 한중 양국 교류의 문이 다시 열렸다. 1989년 여름, 김구 선생의 아들 김신은 자싱에서 김구의 발자취를 찾아 김구 피난처를 확인했다. 1999년, 김신의 주선으로 중국 자싱시와 한국 강릉시가 자매도시로 맺어졌다.

항저우 임시정부기념관

추이란 부관장

대한민국임시정부 항저우 유적지 기념관입니다.*

20세기 초에 한반도는 일제에 나라를 빼앗긴 후 세계 각국에서 항일독립운동을 전개했습니다. 이리하여 1919년 4월 11일, 중국 상하이에서 대한민국임시정부가 수립되었으며, 1945년 8월 15일, 광복을 맞이하기까지 중국의 상하이, 항저우, 난징, 창사, 전장, 광저우, 류저우, 치장, 충칭 등 여러 곳에서 27년의 항일독립운동 발자취를 역사의 한 페이지에 남겨 놓았습니다.

1932년 4월 29일, 윤봉길 의사의 상하이 훙커우공원 의거를 계기로, 일제의 추적을 피해 김구 선생님은 당시 저장성 정부 주석인 주푸청 선생님의 도움으로 자싱으로 피신했고, 국무위원 김철 선생님이 임정을 이끌고 항저우로 이전했습니다. 이때부터 임정은 항저우를 중심으로 가장 힘들고 어려웠던 5년의 저장 시기를 보냈으며, 아울러 저장 시민들과 눈물겹고 아

* 이 글은 추이란 부관장이 항저우 임시정부기념관 전시장 곳곳을 안내하는 말 그대로 담았습니다.

름다운 이야기를 후세에 전해주었습니다. 항저우를 중심으로 한 5년의 저장 시기는 임정이 해체 위기를 극복하고 새로운 전환점을 맞이한, 한국독립운동사상 아주 중요한 부분이라 할 수 있습니다.

사람들은 흔히 편안하고 행복했던 기억보다 가장 힘들고 어려웠던 기억이 더욱 새롭다고 합니다. 항저우시 정부는 이 소중한 추억과 더불어 거금을 들여 2002년부터 대한민국임시정부 항저우유적지기념관 복원사업을 시작했고, 2007년 11월 30일에 정식으로 개관했습니다.

그 후 2012년과 2016년 두 차례 기념관 보수공사를 진행했고, 한국독립기념관과 국가보훈처의 도움을 받았습니다.

현재 한국 독립운동 관련 유적지는 17국 719곳에 있으며, 그중 중국에만 345곳으로 48%를 차지합니다. 모두 중국 현지 정부에서 관리, 운영하고 있습니다.

이미 10주년을 맞이한 우리 기념관은 중국과 한국 문화 교류의 플랫폼으로서 한중 친선 유대를 강화하는 역할을 훌륭하게 담당했으며, 앞으로도 계속하여 이바지할 것입니다.

그럼 임시정부 청사 옛터부터 안내하겠습니다.

이곳은 후비엔춘 23호입니다. 당시 임정 요인들은 1층과 2층을 사용했으며 김철, 송병조, 차이석 세 분이 주로 여기에서 활동했고 다른 임정 요인들은 주변에서 생활했습니다.

임정이 처음 항저우에 도착하여 사용한 청사는 칭타이 제2여사였습니다. 이듬해인 1933년에 바로 지금 이곳으로 이전했으며, 이곳에서 윤봉길 의거 이후 대책과 혁명 계획을 의논했습니다.

이분이 바로 국무위원 김철입니다. 안타깝게도 항저우에 온 지 2년 만인 1934년 6월 29일에 항저우 광제병원에서 급성 폐렴으로 별세했습니다. 전라남도 함평 출신으로 '좋은 방책과 급무는 죽거나 살거나 모두가 합하여 하나가 될 일'이라면서 전 재산을 팔아 중국으로 독립운동을 하러 왔습니다.

송병조 선생은 1920년대에 임시의정원 의장으로 있었으며 충칭에서도 같은 직을 수행하다가 1942년 2월에 별세했습니다.

임정의 파수꾼이라고 불리는 차이석 선생은 비서장으로 가난한 임정 살림을 맡아 마음 편한 날이 없었다고 합니다. 안타깝게도 해방된 지 한 달이 채 되지 않은 9월, 환국 준비로 바쁘던 충칭에서 별세했습니다.

김철 선생이 안치된 묘소는 지금은 다른 건물이 서 있어 찾을 수 없습니다. 송병조, 차이석, 이동녕 선생은 살아서 광복된 고국의 땅을 끝내 밟지 못했습니다. 김구 선생은 환국한 뒤 이동녕과 차이석 유해를 국내로 옮겨 효창원에 모셔 임정을 지킨 공을 기렸습니다. 물론 이동 시기 임정을 지켜낸 이들은 지도자만이 아닙니다. 유랑길을 함께 했던 임직원들과 가족들도 임정 유지에 일조했습니다.

여기에 걸려 있는 태극기는 1920~30년대 임시의정원에서 사용했던 태극기 복사본입니다. 많은 분이 지금 태극기와 다르다고 하는데 오늘날 태극기가 처음부터 그런 태극기는 아니었습니다.

임정이 항저우를 떠난 후 이곳에는 항저우 시민들이 살았습니다. 여기 전시된 가구들은 1930년대 이곳 주민들이 사용했던 것들입니다. 일부는 우리 관장이 손수 구했고, 일부는 주민들이 이주하면서 기부한 것들입니다.

제1전시관 | 상하이 시기

1919년 3·1운동을 계기로 각 지역에서 항일 구국운동이 활발하게 전개되었습니다. 한국 국내와 중국 동북, 일본 및 미주 등 지역에서 온 대표들이 상하이에 모여 마침내 1919년 4월 11일 대한민국임시정부를 수립했습니다. 이처럼 상하이는 항일독립운동의 중심지로, 상하이로 모여든 애국자와 지사들이 무려 수천 명에 달했습니다.

대한민국임시정부는 한국 역사상 최초의 민주공화제 정부였고, 항일독립운동의 주요 지도부로서 중요한 역할을 했습니다. 임정은 1932년 항저우로 이전하기 전까지 상하이를 근거지로 13년간 활동했으며, 훗날 대한민국 정부의 뿌리가 되었습니다.

임정에 모인 사람들은 모두 주권을 찾고자 노력한 독립운동가들이었지만 지향은 달랐습니다. 이승만은 권력 지향의 정치가로 자유국가를 선호했고, 김구는 이론보다 투쟁을 지향했고 민주 문화국가를 선호했으며, 안창호는 조직 관리에 출중한 정치가로 실력 양성론을 주장하며 정치 국가를, 안중근은 동양 평화를 주장하며 평화국가를 지향했습니다.

1931년 말 임정 특무조직으로 한인애국단이 조직되었고, 김구는 단장으로서 실제적인 항일투쟁에 나섰습니다. 김구는 백정선이란 가명으로 도쿄의 이봉창에게 100달러를 송금하여 일왕 처단 준비를 하게 했고, 1932년 1월 8일, 이봉창은 일왕을 처단하고자 작탄을 투탄했으나 실패하고 순국했습니다. 같은 해 4월 29일, 윤봉길은 김구의 지시로 상하이 훙커우공원에서 열린 일왕 생일인 천장절 행사와 일본군의 화동지구 침략을 위한 성대한 열병식에 도시락 작탄을 던져 일본 요인 7명을 쓰러뜨렸습니다.

윤봉길은 식장에 일본 교민이 도시락과 물통만 갖고 들어갈 수 있다는 정보를 입수한 후 김구를 찾아왔습니다. 일본인 시장에서 도시락과 물통을 하나씩 사와서 중국군 조병창에서 근무하는 김홍일에게 거기에 폭탄을 조립해 달라고 맡겼습니다. 그때 도시락작탄과 물병작탄을 만든 사람은 중국인 향차도였습니다. 일본은 그 행사에 상하이 주재 각국 공관장들도 초대했으나 모두 일본의 침략행위에 반대하는 뜻에서 참석을 거부했기 때문에 사상자는 모두 일본인이었습니다.

일제강점기 민족운동에서 가장 대표적인 평화운동은 3·1운동입니다. 3·1운동은 대중운동의 가능성을 보여주었지만, 일제를 상대로 평화투쟁은 불가능함 역시 알려주었습니다. 그 후 본격적인 무장항일투쟁이 시작되었고, 일부 민족대표 33인은 변절했습니다.

윤봉길의 훙커우공원 의거는 전 세계를 진동시켰고, 일제는 상하이 시민과 한국인들에게 야만적인 보복행위를 감행했습니다. 이에 김구는 상하이 여러 신문에 이 사건이 자기 혼자의 계획이었음을 밝혔습니다. 일제는 60만 대양(은화)이란 현상금을 걸고 김구를 체포하려 했습니다. 당시 60만 대양은 한화로 58억 원에 달합니다. 자료에 따르면, 그때 은화 3원이면 일반 가정이 한 달 동안 살아갈 수 있었다고 합니다.

일제의 보복에 김구는 김철의 친지인 미국인 피치 부부의 도움으로 위험에서 벗어났고, 5월 20일 당시 저장성정부 주석인 주푸청이 생명의 위험을 무릅쓰고 김구를 자기 고향인 자싱으로 피신시켰고, 임정은 당시 국무위원 김철이 이끌고 항저우로 이전하게 되었습니다.

제1전시관 | 항저우 시기

항저우 임정청사 유적지는 세 곳에 기록 보존되어 있습니다. 그중 항저우에 도착하여 처음 사용한 청사는 바로 칭타이 제2여사 32호 방입니다. 1933년부터는 후비엔춘 23호, 1934년 11월 26일, 다시 반차오루 우푸리 2가 2호로 이전하기로 결정합니다. 임정이 항저우에서 세 번째로 머물렀던 곳입니다. 임정이 피난할 때마다 선택한 곳의 공통점은 집마다 세 개 이상의 문이 있었습니다. 적들이 추적해왔을 때 동시에 빨리 대피하기 위해서였습니다.

후비엔춘 주변에 있는 치신리齊心里에서는 민필호 일가가 살았습니다. 민필호는 『한국혼韓國魂』을 쓴 독립운동가 신규식의 사위입니다. 신규식은 1911년에 상하이로 망명해 상하이 프랑스조계 내에 독립임시사무소를 개설하여 정부 수립을 추진했습니다. 쑨원이 일으킨 신해혁명에 참가한 유일한 외국인으로, 중국 광둥정부로부터 국가 승인을 얻는 외교 성과를 거두었습니다.

13세에 상하이에 망명한 민필호는 신규식이 경영하는 박달학원博達學院에 입학하여 중국어와 영어를 배웠으며, 그 후 중국 관영 교통부 상하이 체신학교에서 공부하면서 신규식이 국내에 있던 이상재, 손병희 등에게 민중시위운동을 전개하라는 밀서를 전달하는 일을 보좌했습니다. 그 후 장제스 암전연구소에서 총무로 근무하면서 받은 월급을 임정 독립자금에 보탰습니다. 윤봉길 의사 의거 후 김구가 주푸청 저택으로 피신하는 것을 도왔으며, 이동녕, 이시영, 엄항섭, 조항구, 안공근 등을 항저우로 피신하도록 주선했습니다.

"우리 대한민국의 유일한 생존의 길은, 우리나라가 왜 다른 나라에 병탄당하게 되었는가 하는 역사적 원인을 똑똑히 깨달아야 하고 주의, 사상이나 집권야욕만 현현하는 소아小我를 과감히 버리고 대아大我를 앞세워 나라와 민족을 위해 사는 것이다."

민필호는 1919년 7월에 임정 법무총장 신규식의 딸 신명호와 혼인했습니다. 이 사진은 1923년 상하이 만국공동묘지에서 신규식 묘비 앞에서 찍은 것인데, 가운데가 민필호, 옆에 있는 아이가 장남 민영수, 뒷줄에 아내와 장모 조정완, 딸 민영주입니다. 민영주는 독립운동가이자 고려대 총장인 김준엽의 아내입니다. 충칭 시기에 태어난 차남 민영백은 임정 수립 98주년을 맞이하면서 이렇게 회고했습니다.

"대한민국임시정부가 옮겨 다니는 곳마다 아버지를 따라 중국 여기저기를 떠돌면서 살았습니다. 항저우에서 살던 시절, 우리 집은 독립운동가 합숙소같이 북적였죠. 이동녕, 윤기섭, 차이석 선생이 매일같이 찾아왔고 김구 선생도 가끔 들렀습니다. 우리 가족은 어머니가 차려주신 밥을 독립운동가 선생님들과 다 같이 둘러앉아 맛있게 먹었습니다."

신규식이 남긴 명저 『한국혼』은 이렇게 시작됩니다.

"마음이 죽어버린 것보다 더 큰 슬픔이 없고, 망국亡國의 원인은 이 마음이 죽은 탓이다. … 우리의 마음이 곧 대한의 혼이다. 다 함께 대한의 혼을 보배로 여겨 소멸되지 않게 하여 먼저 각자 자기의 마음을 구해 죽지 않도록 할 것이다."

항저우 시기의 독립운동가 중 이시영은 집안이 대단했는데, 당시 600억 원, 지금의 2조 원에 상당하는 땅을 팔아 중국 동북 지역으로 건너와 신흥무관학교를 세웠습니다. 조소앙은 쑨원의 삼민주의(민족, 민권, 민생)를 더 확장해 정치, 교육, 외교가 균일해야 한다는 삼균주의를 세웠습니다.

1932년 4월 29일 윤봉길 의거는 중국정부가 임정을 지원하는 계기가 되었습니다. 1933년 당시 장쑤성정부 주석이였던 천궈후는 항저우에 샤오정蕭錚을 파견하여 임정을 돕게 했습니다. 임정의 재정, 군사 인재 양성 등 여러 문제를 해결하여 주었습니다. 또 천궈후의 주선으로 김구는 장제스와 난징에서 단독으로 필담을 나누고, 항일전쟁을 위하여 중앙군관학교 낙양분교에 한인특별반을 설치하기로 합니다. 그곳에서 한국의 군사 인재를 양성하고, 중국정부는 매달 경비를 지원하기로 했습니다.

그때부터 임정은 정식으로 중국정부의 지원을 받게 되었습니다. 그뿐만 아니라 중국 최고 당국은 독일에 파견되었던 나하천羅霞天 등을 급하게 국내로 불러들여 임정 요인들을 비밀리에 보호하게 했습니다.

1934년 8월, 중앙군관학교 낙양분교는 제10기에 한국 청년 40여 명을 입학시켜 중국 학생들과 함께 정치, 군사교육을 받게 했습니다. 더불어 한중 군사합작 교육과 항일전신 훈련도 했습니다. 중국측 책임자는 장치중, 한국측 책임자는 김원봉, 교관은 지청천과 이범석이었습니다. 이들은 훗날 한국광복군의 주력 후비군이 되었습니다.

그러나 한국독립당, 조선혁명당, 조선의열단 등 당파 형성과 김철의 병사, 조소앙을 비롯한 국무위원 5인의 사직으로 임정은 송병조와 차이석 둘만 남게 되어 해체 위기를 맞이합니다.

1935년 10월 하순, 자싱 난후의 배 위에서 임정 국무회의가 열렸고, 김구와 이동녕, 조완구 3인을 국무위원으로 보선하여 임정을 다시 세웠습니다. 임정의 항저우 시기는 한국 독립운동사상 무마될 수 없는 3년 6개월의 역사였습니다.

독립운동 단체들은 곳곳에서 성립되었습니다. 1934년 1월, 한국독립당 본부와 특구회 사무소는 항저우 쉐스루 스지엔팡 40호와 41호로 이전하여 당의 새로운 기관지인 『진광』을 편집하고 발행했습니다. 『진광』은 중국어와 한국어로 발간되었는데, 당시 저장성 당 기관지인 동남일보사에서 인쇄해 매달 25일에 발행되었습니다.

2017년 2월 저장성정부는 앞에서 언급한 임정 청사 유적지 3곳과 한국독립당 기관지 발행 사무소로 사용된 사흠방 40호와 41호를 '한국독립운동 활동 유적지'로 명시하고 저장성 문화재로 추가했습니다.

제1전시관 | 대한민국임시정부 이동시기

광복을 맞기까지 27년 동안 임정은 상하이와 항저우를 거쳐 전장, 장사, 광저우, 류저우, 치장, 충칭으로 옮겨 다닙니다. 임정은 머무는 지역마다 중국정부와 현지 국민의 도움을 받으면서 독립운동에 박차를 가했습니다.

1942년 3월 22일, 중국 입법법원 원장이며 쑨원의 아들인 쑨커는 이렇게 연설했습니다.

"대한민국임시정부는 유럽의 망명정부와는 달리 성립될 때에도 그랬거니와 지금도 한국 민족을 대표한다. 비록 한국 국내에도 부동한 당파들이 많지만 임정만은 없다. 미국에 있는 수만 명의 교포도, 소련에 있는 수십만 명의 한국인과 동북 3성의 수만 명의 한국인도 충칭에 있는 임정을 옹호하기에 임정은 수천만 한국 국민의 의지를 대표한다. 때문에 우리도 임정을 정식으로 승인해야 한다. … 임정은 더욱 강대해질 것이고 한국 국민을 영솔하여 국가의 독립 사업을 점차 완성할 것이다. 그리하여 수천 년간 전해 내려온 중한 두 나라 국민의 우호관계가 더욱 밀접해지고 대대손손 전해질 것이다."

1940년 9월에 임정은 충칭에 도착합니다. 9월 17일, 한국광복군 총사령부가 충칭 자링빈관에서 창립대회를 열었고, 지청천을 총사령관으로 임명했습니다. 축전에는 저우언라이, 둥비우, 쑨커 등 중국공산당 대표와 국민당 대표가 참석했습니다.

1945년 8월 15일 광복을 맞이하기까지 김구를 중심으로 한 임정은 충칭에서 5년 동안 민족독립운동을 펼치면서 역사적 사명을 완수했습니다.

제2전시관 | 김구와 임정 요인들을 도운 저장 인민들

바다를 사이에 두고 저장성은 예전부터 한반도와 밀접한 관계가 있었습니다. 고인돌이라 부르는 지석묘나 보타산의 신라초, 영파의 고려사관과 보운사, 항저우의 혜인사, 태주의 최부 표류 도착지 등 유적들은 양 지역이 오랜 역사 속에서 우호적으로 왕래했음을 증명하고 있습니다.

이처럼 예전뿐만 아니라 한중 공동 항일 투쟁의 기나긴 여정에서 피어난 한국 독립운동가들과 저장성 인민들의 눈물 겹고 감동적인 이야기들이 후세에 전해지고 있습니다.

주푸청은 중국 신해혁명의 원로이자 저장성정부 주석과 상하이법학원 원장을 지냈습니다. 그는 자신과 가족 생명의 위험을 무릅쓰고 아들과 며느리, 양자까지 동원해 김구와 임정 요인 및 가족들을 피신시켜 주었습니다.

이에 한국정부는 1996년 주푸청에게 대한민국 건국훈장을 수여했습니다.

자싱에서 김구가 위기에 몰리자 주푸청은 출산한 지 1개월밖에 되지 않은 며느리 주자루이에게 김구를 하이옌으로 피신시키게 합니다. 그곳 친정 삼촌 재청별장에서 김구는 반년 동안 머물렀습니다. 주자루이가 무더운 날씨에 산후조리도 하지 못한 몸으로 산길을 넘는 광경에 목이 멘 김구는 독립이 된 훗날, 후손들이 이 광경을 한 편의 영화로 보았으면 좋겠다고 했습니다.

김구의 피난을 도운 저장 사람들 가운데 주아이바오라는 뱃사공의 이야기는 전설처럼 전합니다. 김구와 부부 행세를 하며 온종일 배를 타고 운하를 돌며 일제의 추격을 따돌린 거지요. 김구를 위해 난징까지 동행했으며, 그곳에서도 부부로 가장하여 일제의 추적을 피하게 했습니다. 난징이 일제에 함락되고, 김구가 임정을 따라 창사로 이동하면서 주아이바오는 자싱으로 돌아갔는데, 그것이 두 사람의 마지막 만남이 되었습니다. 김구는 『백범일지』에서 이렇게 회고했습니다.

> "그 후 두고두고 후회되는 것은 그때 그녀에게 여비로 겨우 100위안을 준 것이다. 그녀는 근 5년 동안 나를 광둥 사람인 줄로 알고 섬겨왔고, 나를 보살펴 준 공로가 적지 않았다. 당시 나는 이후 다시 만날 날이 있을 것이라 생각했기에 노잣돈밖에 주지 못했는데 참으로 유감스럽게 생각한다."

임정과 독립운동가들을 다룬 소설 『선월』에는 이런 대목이 있습니다. 김구가 위기에 처해 있을 때, 저장 사람들은 이렇게 이야기합니다.

"일제가 잡으려는 사람이라면 무조건 좋은 사람일 것이오. 암 좋은 사람이구 말구! 아무리 어려운 일이 있더라도 우리는 꼭 도울 것이오."

이처럼 저장 사람들은 공동의 적 일제 침략자에 대한 항일운동을 실제 행동으로 보여주었습니다. 김구의 차남 김신은 자싱과 하이옌을 여러 차례 방문했으며, 방명록에 '음수사원 한중우의飮水思源 韓中友誼' 여덟 글자를 적어 중국 국민에게 감사의 마음을 표현했습니다.

충칭 롄화츠 대한민국임시정부기념관

리셴즈 전 부관장

1910년 8월 경술국치 이후, 한국 국민은 일본 식민통치에 대항하여 민족의 자유와 독립을 되찾기 위한 불굴의 투쟁을 전개했다.

1919년 3월, 한국의 자유와 독립을 요구하는 거족적인 3·1운동이 일어났고, 이후 블라디보스토크, 한성(서울), 상하이에서 임정이 수립되었다. 이 세 임정은 통합 회의를 진행하여 마침내 1919년 9월 상하이에 대한민국임시정부가 탄생하였다.

대한민국임시정부는 한민족 최초의 민주공화정부로, 광복을 맞아 환국할 때까지 한국 국민을 대표하면서 항일독립운동을 주도했다. 〈대한민국임시헌법〉과 기타 법규를 제정하고, 정치, 군사, 외교, 교육, 문화 활동을 전개하는 한편, 일본의 침략 수뇌를 처단하는 의열투쟁을 계속해왔다.

1932년 대한민국임시정부는 일제의 집요한 추적을 피해, 상하이를 떠나 항저우, 진장, 난징, 광저우, 류저우, 치장을 거쳐 1940년 충칭에 도착할 때까지 8년여간 중국대륙을 이동하며 활동했다. 일제의 중일전쟁 도발 이후, 중국정부의 지원 속에 충칭에 정착해 항일투쟁을 계속하게 되었다.

충칭임정은 정부의 기반을 확대, 강화하고 〈임시헌장〉을 제정하는 한편, 〈대한민국건국강령〉을 반포했다. 이와 함께 국제사회의 승인을 얻기 위한 외교적 노력도 계속했다. 1940년 9월에는 한국광복군을 창설하고, 태평양전쟁 발발 이후 일본과 독일에 선전포고를 하고 연합국 일원으로 항일전쟁에 참전했다.

1945년 일본 패망 후 임정 요인들은 중국정부와 인민들의 환송을 받으며 환국했고, 이후 대한민국 정부 수립에 노력했다. 대한민국헌법 전문은 임정을 계승했음을 밝혀 "대한민국임시정부를 법통으로 한다"고 썼다.

한중 양 국민 공동의 적인 일제에 대한 투쟁의 역사를 회고할 때, 우리는 중국 땅에서 영면한 한국의 우수한 젊은이들을 잊어서는 안 된다. 또한 한중 우호의 기초를 다진 이들을 잊어서도 안 된다. 이것이 오늘날 충칭에서 대한민국임시정부 청사를 복원하고 전시하는 취지이다.

대한민국임시정부와 한국민은 일본제국주의의 식민지배에 항거하는 정치, 외교 및 홍보 활동과 동시에 군사 활동도 전개했다.

압록강과 두만강을 경계로 한국과 접해 있는 중국 동북지역에서는 한국인으로 조직된 수많은 항일무장대오가 있었다. 그 중 서로군정서·북로군정서 등은 대한민국임시정부와 연락을 취하여 임정을 옹호, 지지했다. 임정은 육군주만참의부를 직접 지휘하며 독립전쟁을 준비했다.

또한 임정은 중국정부의 지원으로 많은 한인 청년을 황푸군관학교, 육군강무학교, 중앙육군군관학교 등의 군사학교에 입학시켜 근대적인 군사훈련을 받게 했고, 이들은 졸업 후 항일무장활동에 참여했다. 임정 주변에서 한국노병회, 병인의용대 같은 독립운동단체들도 임정을 지원하며 항일운동을 했다.

1931년 만주사변 직후, 임정은 독립운동의 새로운 활로를 모색하기 위해 '한인애국단'을 결성하고 이봉창, 윤봉길 의거 등을 결행했다. 1940년 9월 17일 충칭에서 임정 직할 무장부대인 한국광복군을 창설하여 조국이 광복되는 그 날까지 항일투쟁을 이끌어갔다.

작가의 말

문영숙

2018년은 내게 큰 아픔이 있었던 해였다. 만 40년을 해로한 남편을 떠나보냈다. 남편은 오랫동안 투병 생활을 했기 때문에 언제든 위기가 올 수 있는 상황이었다. 10여 년 동안 항상 조마조마했지만, 지난여름 끝자락에 그렇게 갑자기 떠나리라고는 상상하지 못했다. 나는 그 빈자리를 느끼지 않으려고 무작정 일에 파묻혔다.

우연히 임시정부 코스 탐방 기회가 찾아왔다. 남편이 살아 있었다면 긴 여행은 불가능했을 것이다. 그래서 이 여행은 더 중요한 내 후반전 인생의 시발점이었고 홀로된 후의 첫 프로젝트였다. 쉰이 넘어 글을 쓰기 시작했고, 쓴 글들이 역사를 소재로 한 것이 많다 보니 언젠가는 임시정부 전 코스를 답사하고 싶었던 차였다.

'뜻이 있는 곳에 길이 있다'는 말을 나는 항상 경험으로 신뢰하며 살고 있다. 간절히 바라고 꿈꾸면서 그 길을 향해 노력하면 어떤 방법으로든 항상 길이 열렸다. 이번에도 예외가 아니었다.

임정 코스 답사 일정을 잡은 것은 실은 지난해 여름, 동료작가들과 함께 사할린 여행을 하면서 시작되었다. 하지만 막상 시행단계에 이르니 각자의 바쁜 사정으로 취소되고 말았다. 그 아쉬움을 중국에 있는 김월배 교수에게 토로했더니, 김 교수는 자신이 안내하겠다며 무조건 중국으로 오라고 했다. 답사를 마친 후 2019년 임시정부 수립 100년에 맞춰 책을 한 권 같이 내자고 했다.

기회는 잡는 자만이 누릴 수 있다는 평범한 진리를 앞세워 무작정 중국으로 날아갔다. 김 교수는 14년 동안 중국에서 구축한 인맥과 경험을 모두 동원해 최선을 다해 임정 유적지를 안내해 주었다. 너무나 감사한 일이다.

이 책은 대단한 학술서도 아니고 여행전문가의 여행안내서도 아니다. 우리 역사를 소재로 글을 쓰는 작가로서 임시정부 수립 100년을 맞아 임시정부의 발자취를 제대로 이해하는 데 도움이 될 수 있도록 쉽게 썼다.

특히 이 책에서는 그동안 소외되었던 연해주 독립운동과 국내외에서 처음으로 설립된 임시정부인 '대한국민의회'를 최초로 조명했다. 지금까지는 상하이임정만 강조한 것이 사실이다. 냉전 시절, 우리는 남북 이데올로기에 갇혀 러시아에서 활동한 수많은 독립 영웅을 제대로 조명하지 못했다. 또 아쉽게도 1937년 스탈린에 의한 한인 강제이주로 많은 사료가 유실되었다. 1990년 한러 수교 이후에야 학자들에 의해 러시아 한인독립운동 자료들이 속속 드러나고 있다. 다행스러운 일이다. 그러나 아직도 많은 자료가 묻혀 있다. 양국 정부 차원의 사료 조사가 시급한 상황이다.

내가 연해주 독립운동사에 관심을 갖게 된 것은 책이 만들어준 인연이었다. 2012년 청소년 역사소설 『까레이스키, 끝없는 방랑』을 내자마자 9월 중순에 러시아 여행을 떠났다. 블라디보스토크와 우수리스크를 돌아보고 시베리아횡단열차를 타고 바이칼까지 가는 여행이었다.

첫날 우수리스크에서 최재형이란 인물을 처음 알게 되었다. 안중근 의사의 하얼빈 의거가 있기까지 함께 계획을 짜고 필요한 모든 것을 준비해 준 인물이었다. 그는 연해주 독립운동의 터전을 마련한 연해주 한인독립운동의 대부였다. 최재형이란 이런 입지전적인 인물이 어떻게 국내에는 전혀 알려지지 않았을까 하는 의문이 들었고, 그 의문을 풀면서 『독립운동가 최재형』(서울셀렉션)을 2014년에 펴냈다.

그 후 나는 〈사단법인 독립운동가최재형기념사업회〉 홍보대사가 되었고, 2016년부터는 상임이사, 2019년 현재는 이사장직을 맡고 있다. 실로 과분한 자리가 틀림없다. 하지만, 문학이 만들어준 길을 열심히 걸으면서 연해주 독립운동을 더욱 상세히 알게 되었다.

러일전쟁 이후 러시아 연해주로 건너간 한인들이 중심이 되어 을사늑약 이후 두만강을 건너온 수많은 애국지사들과 손을 잡고 구국의 혼을 불살랐다. 그 중심에 최재형, 이상설, 이범윤, 홍범도, 안중근, 신채호, 이범진, 이위종, 문창범, 이동휘, 이동녕, 장도빈, 최봉준 등등 일일이 헤아릴 수 없을 정도로 많은 애국지사가 있었다. 특히 안중근 의사 하얼빈 의거 직전에는 미주에서 활동하던 전명운, 정재관 등이 블라디보스토크로 왔다는 사실도 새롭게 알게 되었다.

또한 연해주와 간도는 서로 빈번하게 왕래하며 간도의 간민회와 연해주의 권업회에 상당수 같은 인물들이 참여하고 있었다. 이후 연해주에서 결성되는 국민의회에도 간도의 인사들이 참여했다. 또 미주에서 결성된 대한인국민회도 연해주와 하바롭스크에 조직을 가지고 있었다.

이 시기 연해주는 사실상 모든 해외민족운동세력을 연결하는 한민족

네트워크의 중심지 역할을 했다고 볼 수 있다. 특히 3·1운동이 임박했던 1918년 11월에는 파리강화회담에 파견할 대표를 선발하기 위해 문창범, 이동휘, 김립, 윤해, 계봉우, 오영선, 김하석, 이강, 이동녕, 원세훈 등과 간도에서 건너온 김약연, 정재면, 상하이에서 온 여운형 등이 빈번하게 서로 왕래하며 전 세계의 한국인 독립운동가 네트워크가 가동되었다고도 할 수 있다. 이러한 바탕 위에서 최초의 임시정부가 러시아 연해주에서 탄생한 것이다.

이번 답사에서 난징과 몇몇 지역을 돌아보지 못해 아쉽다. 임시정부 유적지 전체를 돌아보려면 한 달도 모자랄 것이다. 부족한 시간이었지만 한국광복군 유적이 있는 시안을 돌아본 것은 다행스럽다. 독립운동가 이월봉 지사가 나의 시이모님이었기에 개인적인 사연에서 비롯된 것이지만, 임시정부가 마지막 둥지를 틀었던 충칭에서 벗어나 시안은 특별한 보너스처럼 독립운동의 긴요한 흔적들이 남아 있어서 이 책에 담을 수 있었다. 이 책이 지금까지 우리가 잘 알지 못했던, 또 쉽게 접근할 수 없었던 곳들을 안내하고 이해하는 자료가 되기를 바란다. 답사 전 여러 조언과 자료를 챙겨준 〈한·중 연행노정답사연구회〉 신춘호 대표에게도 감사를 드린다.

답사를 온전히 마칠 수 있게 이해와 격려를 해 주신 〈독립운동가최재형기념사업회〉 김수필 전임 이사장님과 역사에 많은 관심을 갖고 항상 격려와 배려를 아끼지 않는 성장현 용산구청장님과 김철식 용산구의원님께도 특별한 감사를 드린다.

공저자의 말

김월배

2019년!

1919년!

딱 100년의 간극이다. 대한민국임시정부에서 당당한 주권국가로 형성된 지 100년이 흘렀다. 역사가는 기록의 또 한 페이지를 넘기고 또 의미를 고쳐 읽어 볼 때가 되었다. 이 책은 대한민국임시정부 100주년의 기억과 100년의 희망을 준비하는 기록이다.

나는 중국에서 14년 동안 살면서 머릿속에 항상 생각하는 말이 있다.

"문제 제기는 누구나 할 수 있다. 그러나 해결책을 내야 한다. 그게 책임이다."

이번 답사는 책임을 다하려고 노력하는 길이었다.

대한민국임시정부 27년간을 현장에서 보고 듣고 기록한 이 책은 '길 위의 역사'이고 '현장의 역사'이다. 문영숙 작가와 나는 동향으로 안중근 의사에 관해 서로 교류하다가 임시정부 수립 100년을 코앞에 두고 기꺼이 의기투합했다. 러시아 연해주, 상하이, 자싱, 항저우, 그리고 이동 시기, 충칭, 시안으로 이어지는 대한민국임시정부의 기록은 딱 두 단어로 요약되었다. 애국과 자주독립이었다.

첫 번째 애국의 길은 너무 힘들고 험난했다. 27년간 임시정부로서 정부 기능을 유지하고, 다른 나라에 인정받기 위해 중국정부와 연합국의 승인을 얻는 과정이라고 할 수 있다.

두 번째 자주독립의 길이다. 대한민국임시정부는 민초들의 자주독립을 찾기 위한 노력의 집합체였다. 그 중심에 윤봉길 의사가 있었다. 상하이에서 충칭까지 전시관마다 기념물에 꼭 빠지지 않는 인물이 바로 윤봉길 의사다. 대한민국임시정부의 전환점으로 대한민국 국민과 중국 국민에게 적극적 지지를 받게 된 계기가 윤봉길 상하이 의거였던 것이다.

2014년 여름이었다. 매우 무더운 상하이도서관에 중국 내에서 최고의 안중근 연구자로 꼽혔던 고 서명훈 선생님과 사모님을 모시고 중국 내 윤봉길 의사의 의거를 보도한 신문과 잡지를 찾았다. 이때가 대한민국임시정부 사료 발굴에 관한 나의 첫 행보였다. 상하이도서관 근대사사료실에서 당시 여든이 넘은 선생님은 돋보기로 한 달간 마이크로필름을 찾아가며 중국 사료 찾는 법과 열정을 내게 가르쳐 주셨다.

이제 세상에 다른 형태로 소개되지만, 이 책 윤봉길 의사 부분의 상당한 사료는 고 서명훈 선생님의 체취가 배어 있다. 중간에 세상을 먼저 떠나신 서명훈 선생님. 나는 오직 선생님의 뜻을 세상에 전달하고자 노력했다. 돌이켜 보면 무거운 책임이었다.

나의 영원한 은사이신 고 서명훈 선생 영전에 이 기록물을 헌사한다.

우리의 답사에 도움을 준 상하이임정 치엔루지에 부관장과 야오팅팅 부주임, 루쉰공원 우강 원장, 매헌기념관 정르어 해설사, 자싱 김구피난처 왕미나 해설사, 항저우 임시정부 뤼단 관장, 추이란 부관장, 특히 충칭 임시정부 전 쟈칭하이 관장, 리센즈 부관장에게 감사드린다. 또한, 답사 일정에 맞춰 숙소를 예약하고 일정을 꼼꼼히 챙겨준 다롄외국어대학 졸업생 맹혜원孟慧媛에게도 고마움을 전한다. 이 글을 읽는 독자들은 마치 자신이 중국 임정 답사길에 오른 것처럼 실감이 날 것이다.

늘 무한 책임을 다해주는 가족, 아내, 아들에게 특별히 지면으로 감사함을 전한다.

마지막으로, 일본에서도 '평화주의자 안중근의 날'을 기념할 그날이 반드시 올 것을 믿는다.

대한민국임시정부 연표

*대한민국임시정부의 주요 사건 외에 그와 관련된 독립운동단체의 내용도 일부 포함하였습니다.

1907-04 한국 서울
안창호, 양기탁, 전덕기, 이동휘, 이동녕, 이갑, 유동열 등과 함께 항일 비밀결사단체 신민회(新民會) 창립. 헤이그 특사 이준, 이상설, 이위종, 고종의 명을 받고 출국. 6월 24일 헤이그평화회의 개최

1907-07-24 한국 서울
황제, 정부 대신들의 협박에 못 이겨 황태자에게 양위함. 한일신협약(정미7조약) 조인

1908-04 러시아 안치헤
최재형, 간도관리사 이범윤, 헤이그 특사였던 이위종과 함께 독립단체 동의회(同義會)를 조직

1909-02-10 미국 샌프란시스코
안창호, 정재관, 송석준이 조직한 공립협회(共立協會, 1905)가 하와이 한인합성협회와 통합하여 국민회(國民會) 발족

1909-10-26 중국 하얼빈
동의회 산하 대한의군 독립특파대장 안중근, 하얼빈역에서 이토 히로부미 사살

1910-05-10 미국 샌프란시스코
국민회와 대동보국회 통합, 대한인국민회(大韓人國民會) 조직

1910-06-21 러시아 블라디보스토크
13도의군(十三道義軍) 조직, 도총재 유인석

1910-08-22
총리대신 이완용과 통감 데라우치 사이에 한국통치권을 일본 황제에게 양도하는 한일병합 조약 조인. 8월 29일 발효

1910-08-23 러시아 블라디보스토크
성명회(聲明會) 조직, 성명회 선언서에는 유인석 성명회 도총재의 친필 사인과 함께 8,624명 서명

1911-12 러시아 연해주
대한인국민회, 연해주 전 지역에 지회 16개와 회원 1,150인 확보

1911-12-19 러시아 블라디보스토크
이상설, 이종호, 정재관, 김학만, 유인석, 최재형, 김립, 윤해, 신채호, 이동휘 등 권업회(勸業會) 재정비(~1914). 권업회 초대 회장 최재형, 부회장 홍범도

1913-05-13 미국 샌프란시스코
안창호, 흥사단 창립

1915-03 중국 상하이
유동설, 박은식, 신규식, 이상설 등, 상하이 영국조계에서 신한혁명당을 조직

1917-03-17 러시아 블라디보스토크
최재형, 문창범, 김학만 등 전로한족회중앙총회(全露韓族會中央總會) 결의, 6월 13일 간부진 선임. 회장 문창범, 부회장 윤해, 채안드레이(채병욱), 고문

최재형, 이동휘

1918-08-20 중국 상하이
여운형, 장덕수, 조동우, 김구, 신석우 등 신한청년당(新韓青年黨) 조직

1918-11-11
1차 세계대전 종료

1918-12 러시아 우수리스크
전로한족회중앙총회 문창범과 윤해, 이춘숙 등 일본 도쿄 유학생들과 연락, 1919년 1월 6일 유학생 웅변대회, 파리강화회의 문제, 2월 8일 독립선언에 관한 통신

1919-01~06 파리강화회담
프랑스 파리, 1차 세계대전 처리 위한 강화회의

1919-01-21 한국 서울
고종 덕수궁에서 붕어

1919-02-01 중국 상하이
신한청년당 대표 여운형, 김철, 김규식, 장덕수, 조동호 등 상하이에서 회합. 김규식을 파리, 장덕수를 일본, 김철, 선우혁, 서병호를 국내, 여운형을 러시아령에 파견

1919-02-02 한국 서울
박이근, 권희목, 이임수 등 조선민국임시정부(朝鮮民國臨時政府) 수립 계획(4월 8일 선포)

1919-02-07 러시아 연해주
전로한족회중앙총회, 윤해와 고창일 두 사람을 파리에 파견키로 결의

1919-02-08 일본 도쿄
재일유학생 600여 명, 도쿄 히비야공원 도쿄YMCA 회관에서 독립선언서와 결의문 낭독

1919-02-20 러시아 연해주, 블라디보스토크
전로한족회중앙총회와 니코리스크한족회(韓族會) 주최로 고종황제 추도회 및 만세시위운동

1919-02-25 러시아 연해주
러시아령의 전로한족회중앙총회, 대한국민의회(大韓國民議會)로 개칭

1919-03 중국 상하이
여운형, 이광수, 선우혁, 김철, 서병호 등, 상하이 프랑스조계에 모여 독립임시사무소 설치

1919-03-01 한국
3·1운동. 민족대표 33인(4인 불참), 태화관에서 독립선언서 낭독, 독립국 선언. 국내외 독립선언과 만세운동 확산

1919-03-16 한국 서울
이교헌, 윤이병, 윤용주, 최전구, 이용규, 김규, 이규갑 등 한성임시정부 조직

1919-03-17 러시아 연해주
러시아령 대한국민의회 수립, 독립선언서 발표. 의장 문창범, 부의장 김철훈

1919-03-21 러시아 연해주
러시아령의 대한국민의회, 5개항 결의문과 각료 명단 발표. 대통령 손병희, 부통령 박영효, 국무총리 이승만. 노령 임시정부 조직

1919-04-02 한국 인천
각계 대표자들 임시정부 조직과 파리평화회의 대표 파견 및 국민대회 개최하여 한성임시정부 수립 내외 선포 등 협의

1919-04-08 한국 서울
조선국민대회(朝鮮國民大會)와 조선자주당연합회(朝鮮自主黨聯合會), 조선민국임시정부 조직 포고문, 정부창립 장정, 각료 명단 발표. 정도령 손병희, 부도령 이승만

1919-04-08 중국 상하이
상하이독립임시사무소, 임시관제 선포

1919-04-10 중국 상하이
민족운동 지도자 이동녕 등 29명, 제1회 임시의정원 개원, 의장 이동녕, 부의장 손정도 선출

상하이 대한민국임시정부

*이하 중국 상하이 지명은 별도로 표시하지 않습니다.

1919-04-11
대한민국임시헌장 제정, 대한민국임시정부 수립. 국호, 관제 제정, 국무총리 이승만 등 국무원 선출. 국호 대한민국(大韓民國) 의결

1919-04-13
대한민국 임시정부, 내외에 독립정부 성립을 선언하고, 김규식에게 외교총장 겸 전권대사의 신임장을 발송

1919-04-15
러시아령 대표 원세훈, 대한국민의회와 상하이 임시의정원 통합정부 설치 제의

1919-04-16 한국 서울
13도 대표자, 국민대표 25명과 함께 서울에서 비밀회의 개최하여 임시정부의 파리강화회의 파견 대표자 확정

1919-04-17 한국
철산, 선천, 의주 인사들, 신한민국정부(新韓民國政府) 선언서 배포

1919-04-23 한국 인천
13도 대표 24명, 한성임시정부 약법과 각료 명단 발표. 집정관총재 이승만, 국무총리총재 이동휘

1919-04-25
제3회 임시의정원 회의에서 대한민국임시정부 장정 및 임시의정원법 의결

1919-05
교통국 안둥지부 사무국 설치, 이륭양행 2층

1919-05-10
임시정부, 국가주권 승인 등 20개 항목의 공문서 파리강화회의에 제출

1919-05-12
김규식, 파리강화회의에 독립청원서 제출

1919-05-13
임시의정원 의원 손두환, 한위건 등 6명, 러시아령 대한국민의회와의 통일안 제출

1919-05-25
안창호, 내무총장에 취임하기 위해 미국에서 상하이에 도착

1919-06-26
안창호, 내무총장 취임

1919-07-10
임시연통제 실시 공포. 각도 독판: 평안북도 안병찬, 평안남도 윤성운, 황해도 최석호, 함경남도 오상근, 함경북도 오상묵, 전라남도 기동연, 전라북도 이덕환, 경기도 민철훈, 충청도 이기상

1919-07-11
임시의정원, 상하이 임시의정원과 러시아령 대한국민의회와 합병 결의

1919-07-13
상하이에서 대한민국적십자회 조직, 안창호 등 78명의 명의로 선언서와 결의문 발표, 회장 이희경

1919-08-21
안창호, 김석황 등, 임시정부 신문 〈독립(獨立)〉 창간(후에 〈독립신문(獨立新聞)〉으로 바꿈)

1919-08-25 미국 워싱턴
구미위원부(Korean Commission) 조직. 정식 명칭은 대한민국특파구미주찰위원부(The Korean Commission to America and Europe). 유럽에서 대한민국임시정부를 대표하여 외교권과 재정권 행사

1919-08-28
임시헌법개정안, 임시정부개조안, 임시의정원에 상정(대통령제 채용)

1919-08-30
대한국민의회, 통합임시정부안을 승인

1919-08-30
이동휘, 상하이 도착

1919-09-06
임시의정원, 헌법개정안과 정부개조안 통과 (제1차 개헌). 대통령제 개헌에 따른 초대 각료 발표. 대통령 이승만, 국무총리 이동휘, 외무총장 박용만, 학무총장 김규식, 참모총장 유동열, 교통총장 문창범, 내무총장 이동녕, 재무총장 이시영, 법무총장 신규식, 군무총장 노백린, 노동국총판 안창호

대한민국임시정부*_ 중국

* 대한민국임시정부는 러시아 대한국민의회, 중국 대한민국임시정부, 한국 한성임시정부가 통합한 대한민국임시정부를 뜻합니다.
* 이하 대한민국임시정부가 있었던 지명은 별도로 표시하지 않습니다.

1919-09-11
대한민국임시헌법 공포. 한성, 상하이, 러시아령 정부 조직 통합

1919-09-17
개정임시의정원법 공포

1919-09-18
이동휘, 국무총리에 취임

1919-10
여운형, 안공근, 한형권을 소련에 파견할 대표로 선정, 레닌정부로부터 독립운동 원조를 교섭케 함

1919-10-13
대한애국부인회 조직

1919-10-17
국내에 임시총판부 설치, 연통제관제 공포

1919-10-23
대한정의단(大韓正義團) 임시군정부(臨時軍政府), 임시정부의 권고로 군조직 개편. 대한정의군정사(大韓正義軍政司)로 개칭, 총재 이규

1919-10-23
이동휘파 고려공산당, 블라디보스토크에서 상하이로 옮김

1919-11
한족회 직속인 서젠다오 군정부를 대한민국임시정부 서로군정서(西路軍政署)로 개편

1919-11-10
의친왕 이강, 상하이 망명 시도했으나 실패. 강제로 본국에 소환됨

1919-11-28
임시정부 민단장 여운형, 신한청년당 대표하여 미국 대통령 윌슨에게 한국독립청원서 제출

1919-11-29
임시정부 외무차장 여운형, 일본정부 요청으로 도일하여 독립의 취지를 설명하고 29일 본국 경유, 상하이 귀환

1919-12
정의단 군정부, 임시정부 산하에 들어가 북로군정서로 개칭. 총재 서일

1919-12
북로군정서, 임시정부 국무원령 205호에 의해 대한군정서로 개칭, 임시정부 산하 군단으로 편입

1920-01-05
간도국민회(間島國民會), 북만주 각 군단 통일 등 3개항을 대한민국임시정부에 건의

1920-01-22
임시정부 러시아 파견 외교원으로 한형권, 여운형, 안공근 선정

1920-01-24
군무부, 포고 제1호. 전국민은 독립군이 되어 독립전쟁 참가 호소

1920-02-20
군무총장 노백린, 김종림 등, 미국 캘리포니아주에 한인비행사양성소 설립

1920-03-19
임시의정원 의원 17명, 임시대통령 이승만에게 상하이 부임 촉구 결의안 제출

1920-03-20
임시정부, 임시육군무관학교 개교

1920-05-08
임시정부 임시육군무관학교, 제1회 졸업생 19명 배출

1920-06-27 중국 만주
봉오동전투. 홍범도 독립군 부대, 일본군 대파

1920-07 스위스 제네바
제2인터내셔널대회 파리위원부 부위원장 이관용과 조소앙 참가. 한국독립승인결의안 통과

1920-07-14
이륭양행 조지 쇼, 오학수사건으로 일본 경찰에 체포당함.

1920-07-26
대한광복군총사령부(大韓光復軍總司令部) 규정 및 세칙 을 공포

1920-08-03
독립에 관한 진정서를 한국을 방문하는 미국 의원단에 제출하려고 양기탁 등 파견(8월 13일 의주에서 체포됨)

1920-10-21 중국 만주
김좌진, 나중소, 이범석이 지휘하는 북로군정서군(北路軍政署軍)과 홍범도가 이끄는 대한독립군(大韓獨立軍) 부대가 청산리 일대에서 일본군 대파(~10월 26일)

1920-12-05
임시대통령 이승만, 상하이에 도착

1921-01-24
국무총리 이동휘, 위임통치 문제로 대통령 이승만과 의견대립 사임(후임 이동녕)

1921-03-01
국무원 일동, 3·1절 기념식 거행

1921-05-16
국무총리대리 신규식 임명

1921-05-18
임시대통령 유고 공포

1921-05-29
임시대통령 이승만이 상하이를 떠나 하와이행

1921-10
국무총리대리 겸 외무·법무총장 신규식, 광둥성 광저우에서 호법정부 총통 쑨원과 워싱턴에서 열릴 태평양회의(워싱턴회의) 공동 대응책 협의, 대한민국 임시정부 승인과 지원 요구

1921-10-10
이승만, 태평양회의(워싱턴회의)에서 한국독립청원서 미국 대표에 제출

1922-01-04
임시대통령 이승만, 태평양회의(워싱턴회의) 성명 발표

1922-02-14
임시의정원, 의원보궐선거에서 김구, 김마리아를 의원으로 선출

1922-03
신규식 내각 총사퇴. 임정 무정부 상태

1922-06-17
임시의정원, 임시대통령 이승만과 국무원에 대한 불신임안 결의

1922-07-22
〈독립신문〉 중문판 창간, 중국인에게 한국 독립운동 당위성 전파

1922-09-25
국무총리대리 신규식 사망

1922-10-01
김구, 조상섭, 김인전, 여운형 등 7명, 한국노병회 발기, 10월 18일 조직. 이사장 김구

1923-01-05
국무총리 노백린 취임

1923-01-13
국무원 개편, 총리 박은식 임명

1923-04-25
조덕진, 김두만 등 임시의정원 의원 11명, 헌법 위반을 이유로 임시대통령 이승만 탄핵안 제출

1923-06-02
김규식, 이청천, 여운형 등 창조파 30여 명, 대한민국 임시정부를 이탈하여 조선공화국(朝鮮共和國) 선포

1923-09
국무총리 이동녕, 대통령 직무대행

1923-09-19
외무총장 조소앙, 관동대지진 중 한국인 학살에 대한 항의서를 보내고 불법으로 감금한 한국인 1만 5천 명의 석방 요구

1923-11-05
재무총장 이시영, 재무부포고 공포, 납세 호소

1924-04-09
국무총리 노백린 사임, 내무총장 김구 국무총리 대리 겸직

1924-04-22
임시의정원, 의장 조상섭, 부의장 여운형 선출

1924-04-23
이동녕, 국무총리 취임

1924-05-15
국무원 비서 백기준, 국무원 서무국참사 조영원, 법무차장 김갑, 학무차장 김승학, 교통차장 김규면 임명. 임정 무정부상태 수습

1924-06-02
대한민국임시정부, 군무총장에 국무총리 이동녕, 노동국총판에 내무총장 김구, 겸임 발령

1924-08-21
이동녕 임시대통령대리로 선출

1924-09-01
『대한민국임시정부공보』 제1호 발행

1924-12-17
박은식 임시대통령대리, 국무총리 겸임

1925-03-13
임시의정원, 임시대통령 이승만 탄핵안을 상정

1925-03-18
임시의정원, 임시대통령 이승만 탄핵 의결

1925-03-23
임시의정원, 임시 대통령 박은식 선출(7월 7일 사임)

1925-04-07
임시의정원, 대한민국임시헌법 2차 개헌 공포. 대통령제 폐지, 국무령 중심의 내각책임제 채택

1925-07-07
국무령 이상룡 선출(9월 24일 취임)

1925-11-01
박은식 사망. 국장 거행

1926-01-22
대한민국임시정부 군무총장, 국무총리, 참모총장을 역임한 노백린 사망

1926-02-18
임시정부 국무령 이상룡 사임. 후임에 양기탁이 선출되었으나 사임

1926-05-03
임시의정원, 안창호를 국무령에 선출했으나 사퇴

1926—6-10
순종 국장일, 6·10만세운동

1926-06-12
임시정부, 상하이에서 광둥 이전 결의

1926-07-08
국무령 홍진 취임

1926-09-19
임시의정원 의장 송병조, 부의장 최석순 선출

1926-10-16
안창호, 원세훈과 좌우합작운동 논의

1926-12-09
국무령 홍진과 국무원 모두 사직

1926-12-10
김구, 국무령 피선(12월 13일 취임)

1927-02-25
임시의정원, 대한민국 신임시약헌(제3차 개헌) 통과, 집단지도제로 개편

1927-03-05
대한민국임시약헌 공포, 국무위원제 채택

1927-08
신임 내각 구성. 주석 이동녕, 국무위원 김구, 오영선, 김철, 김갑

1928-03-25
안창호, 이동녕, 이시영, 김구 등 상하이 프랑스조계에서 한국독립당 조직

1930-01-25
이동녕, 안창호, 김구 등 한국독립당(韓國獨立黨) 결성

1930-04-01
대한민국임시정부, 독립운동자의 일치단결을 호소하는 선언서 발표

1930-08-04
임시정부, 국무원 개편, 국무령 김구

1930-11-08
임시의정원에서무위원 개선. 법무장, 주석 겸 의정원 의장 이동녕, 재무장 김구, 내무장 조완구, 군무장 김철(1931년 3월 1일 취임)

1931-01
이봉창 상하이 도착

1931-02-19
임시의정원 의장 손정도 만주 지린에서 병사

1931-04-10
하와이애국단 결성(김구의 한인애국단 후원)

1931-04-18
임시정부, 대외선언을 발표하고 삼균주의(三均主義)를 건국원칙으로 천명

1931-07
완바오산 사건 발생. 중국 지린성 완바오산 부근에서 중국과 한국 농민 사이에서 관개수로를 두고 벌어진 분쟁

1931-07-10
흥사단, 애국부인회, 병인의용대 등 상하이 한인단체, 완바오산 사건 대책을 논의하고 상하이한인각단체연합회(上海韓人各團體聯合會) 조직

1931-09-18
만주사변 발발

1931-10-04
상하이 독립운동단체, 중국 국민당정부에 독립운동자 보호 요청

1931-12-06
김구는 국무원 회의에서 이봉창 거사계획 보고

1931-12-13
김구, 안공근, 엄항섭 등, 이봉창의 선서식을 계기로 일본 요인 암살을 목적으로 한 한인애국단(韓人愛國團) 조직(~1932.5)

1931-12-17
한인애국단원 이봉창, 중국 상하이 출발(12월 22일 일본 도쿄 도착)

1932-01-08
한인애국단원 이봉창 의거. 도쿄 경시청 앞에서 일왕에게 폭탄 던짐. 현장에서 체포 당함.

1932-01-28
상하이 주둔 일본군, 상하이 침공. 제1차 상하이사변

1932-02-14
임성우, 김경옥, 현도명, 김태정 등 하와이애국단 결성. 이봉창, 윤봉길 의거의 거사자금 지원

1932-03
김구, 김철, 조소앙 등, 중국인 쉬톈팡 등과 한중항일

대동맹(韓中抗日大同盟) 조직

1932-04-29
한인애국단원 윤봉길 의거, 상하이 훙커우공원 천장절 축하식장 단상에 폭탄 던짐. 일본군 시라가와 요시노리 대장을 비롯하여 시게미쓰 마모루 공사 등 10여 명 살상하고 체포됨

1932-04-29
안창호, 윤봉길 의거 관련 혐의로 체포됨

1932-05-10
윤봉길 의거 이후 대한민국임시정부는 상하이에서 자싱을 거쳐 항저우로 이동. 국무원 김철 등 항저우에 임시사무처 개설

1932-05-10
김구, 상하이 각 신문에 상하이 폭탄의거의 진상을 발표

1932-05-15
개각 단행. 법무장 이동녕, 내무장 조완구, 외무장 조소앙, 재무장 김철, 군무장 김구

1932-05-28
윤봉길, 상하이 파견 일본군법회의에서 사형 선고받음

1932-06-15
대한민국임시정부 국무령을 역임한 이상룡 지린에서 사망

1932-09-16
한인애국단원 이봉창, 일본 대심원 형사법정에서 비공개 공판 개정

1932-09-30
도쿄 대심원, 이봉창에게 사형 선고

1932-10-10
이봉창, 일본 이치가야형무소에서 사형, 순국

1932-11-10
한국독립당(韓國獨立黨), 조선혁명당(朝鮮革命黨), 한국혁명당(韓國革命黨), 의열단(義烈團), 한국광복동지회(韓國光復同志會) 등, 상하이에서 한국대일전선통일동맹(韓國對日戰線統一同盟) 조직

1932-11-18
윤봉길, 오사카로 압송

1932-11-20
일본 군법회의, 윤봉길에 사형 선고

1932-12-19
윤봉길, 일본 가나자와육군형무소에서 사형, 순국

1933-03-22
국무위원 김구, 이동녕 해직 결정

1933-04
양세봉, 한국혁명군 속성군관학교(韓國革命軍速成軍官學校) 설립

1933-04-20
조선혁명군사정치간부학교(교장 김원봉) 1기생 26명 졸업

1933-10
이청천과 재만 독립군 간부 일행, 중국 군관학교 한인특별반 설치를 위해 산하이관으로 들어감

1933-11-15
임시정부 국무령 김구, 장제스와 중앙육군군관학교(中央陸軍軍官學校) 뤄양분교(洛陽分校)에 한인특별반 설치

1934-01-15
임시정부, 전장에서 3일간 재중국 각 단체 대표 소집. 상하이, 난징 지부 설치, 기관지 부활, 병인의용대(丙寅義勇隊)와 의경대(義警隊) 강화, 임시정부사무처 전장 이전 등 의결

1934-01-20
임시정부, 국무위원회를 난징에서 개최, 의장 겸 재무장에 송병조 선출

1934-02
중국 중앙육군군관학교 뤄양분교에 한인 청년 92명이 입교

1934-07-18

임시정부, 일본 경찰에 노출된 항저우 임시정부 사무처, 한국독립당사무소 폐쇄 결의

1934-08
임시정부, 뤄양군관학교생 25명을 중앙육군군관학교 제10기로 입학시킴

1934-10-03
임시의정원, 항저우에서 개원식 거행

1934-10-10
대한국민의회 의장, 임시정부 교통총장을 역임한 문창범 사망

1934-11-28
임시정부, 사무처 항저우 시내로 이전

1934-12
김구, 중국 중앙군관학교 한인 재학생 등 80여 명으로 한국특무대독립군(韓國特務隊獨立軍) 조직

1935-01-31
이동휘 블라디보스토크에서 사망

1935-02-20
한국대일전선통일동맹, 선언서 등을 발표

1935-04-09
뤄양군관학교에서 군사훈련 마치고 62명 졸업

1935-07
임시정부 국무위원 양기탁, 유동열, 김규식, 조소앙, 최동오의 민족혁명당 입당으로 임시정부 정체. 송병조, 차이석이 임시정부 명맥 유지

1935-07-05
의열단, 한국독립당, 조선혁명당, 신한독립당, 대한독립당 등 5개 단체, 난징에서 민족혁명당(民族革命黨)을 창당

1935-10-01
김구, 중국정부의 실력자인 천궈푸에게 공군 창설을 요청

1935-11
이동녕, 이시영, 김구 등 항저우에서 한국국민당(韓國國民黨) 조직. 이사장 김구

1935-11
임시정부 사무처를 전장으로 옮김

1935-11-03
임시정부, 책임국무원 선출. 주석 이동녕, 학무장 조완구, 재무장 김구, 군무장 조성환, 법무장 이시영, 내무장 송병조, 외무장 차이석

1936-02-22
김구, 중국정부에 한인 청년의 중앙육군군관학교 입교 확대 요청

1936-07-11
한국국민당, 한국국민당청년단(韓國國民黨靑年團) 창설, 동 청년단 창립 선언문 발표

1936-10
한국국민당 안우생 등, 한국청년전위단(韓國靑年前衛團) 조직

1936-11-10
임시의정원, 국무위원 선거, 이동녕, 이시영, 김구 등 7명 선출

1936-12
임시정부, 전장에서 국무회의를 열고 책임주무원 재선. 주석 이동녕

1937-07-07
중일전쟁 발발

1937-07-10
중국정부, 김구, 김원봉, 유자명 등을 루산에 초대, 한중 합작 논의

1937-07-15
임시정부, 중일전쟁 시작되자 군사위원회 설치, 발족(16일). 유동열, 이청천, 이복원, 현익철, 안공근, 김학규 등 위원 6명을 선임

1937-08-17
한국국민당, 한국독립당, 조선혁명당 및 미주 대한인동지회, 대한인국민회, 대한인애국단, 대한부인구제회

등 9개 단체, 한국광복운동단체연합회 결성 선언

1937-09
한국국민당, 상하이에 특무대 파견.

1937-11-23
임시정부, 전장에서 후난성 창사로 이전. 11월 26일 장쑤성 난징시 터우관에 도착. 이후 허저우, 우후, 루강, 허웨저우, 구이츠, 안칭, 한커우를 거쳐 12월 11일 후난성 창사 도착

1937-12-10
일본, 국민정부의 수도 난징 공격. 사흘 만에 난징 점령

1938-05-07
한국독립당, 한국국민당, 조선혁명당 대표들, 창사 난무팅 조선혁명당 본부에서 통합문제 협의 중 조선혁명당 이운환의 저격으로 김구 중상, 현익철 사망

1938-05-21
양기탁, 중국 장쑤성 퍄오양에서 사망

1938-07-07
김원봉, 중국 군사위원회에 조선의용군 조직을 정식 제안

1938-07-17
임시정부, 창사에서 광둥성 광저우로 이전

1938-10-10
김원봉 등 조선민족전선연맹과 중국 국민정부 군사위원회, 조선민족혁명당원과 중국군관학교 출신 180여 명을 규합, 우한에서 조선의용대(朝鮮義勇隊) 조직

1938-10-16
임시정부, 광둥에서 광시성 류저우로 이전

1938-11-30
임시정부 류저우에서 업무 개시

1939-02
고운기 등 광시성 류저우에서 한국광복진선(韓國光復陣線) 청년공작대(青年工作隊) 조직

1939-03-10
임시정부 광시성 류저우에서 쓰촨성 치장으로 이전

1939-05-03
임시정부, 쓰촨성 치장에 임시사무처 설치

1939-07-17
김구계의 한국광복운동단체연합회(韓國光復運動團體聯合會)와 김원봉계의 조선민족전선연맹(朝鮮民族戰線聯盟), 중국정부의 권유로 전국연합진선협회(全國聯合陣線協會) 결성

1939-08-27
치장에서 7당(한국국민당, 한국독립당, 조선혁명당, 조선민족혁명당, 조선혁명자연맹, 조선민족해방운동자동맹 조선청년전위동맹)이 참여한 통일회의 개최

1939-09-01
2차 세계대전 발발(~1945년 9월 2일)

1939-10-00
충칭에서 한국청년전지공작대(韓國青年戰地工作隊) 결성. 대장 나월환, 부대장 김동수

1939-10-01
임시정부, 군사특파단을 조직. 단장 조성환, 부단장 황학수, 단원 왕중량(나태섭), 이웅 등 임명. (12월 3일 시안에 파견)

1939-10-12
임시의정원, 의장 홍진 선출

1939-10-25
임시정부, 국무위원 부서 결정. 내무장 홍진, 외무장 조소앙, 군무장 이청천, 재무장 김구, 비서장 차이석, 법무장 이시영

1939-11-01
임시의정원, 의장에 김붕준 선출

1939-11-18
한국청년전지공작대, 시안으로 출발

1939-12-03
임시정부, 군사특파위원으로 조성환, 황학수 등 6명 시안에 파견, 초모공작 추진

1939-12-05

임시정부, 매년 11월 17일을 '순국선열기념일'로 공포

1940
안중근 동생 안공근 사망

1940-03-02
광복군 성립 계획을 중국국민당 주석 장제스에게 제출

1940-03-13
임시의정원 의장, 임시정부 국무총리 이동녕, 쓰촨성 치장에서 사망

1940-04-01
한국광복운동단체연합회 산하 한국국민당(韓國國民黨), 한국독립당(韓國獨立黨), 조선혁명당(朝鮮革命黨), 한국독립당(韓國獨立黨)으로 통합을 선언, 성명서 발표

1940-04-11
장제스, 중국 영토 내에서 한국광복군 조직 허락

1940-05
한국독립당 중앙집행위원장 김구, '한국광복군편련계획대강(韓國光復軍編練計劃大綱)'을 장제스에게 제출

1940-05-09
충칭에서 한국독립당 창당, 위원장 김구

1940-05-22
장제스, 한국광복군(韓國光復軍) 편성 동의, 중국 군사위원회에 광복군 창설 협조 지시

1940-09
임시정부, 치장에서 충칭으로 옮겨 정착

1940-09-15
임시정부 주석 겸 한국광복군창설위원회(韓國光復軍創設委員會) 위원장 김구, 〈한국광복군 창군선언문〉 발표

1940-09-17
충칭의 자링빈관에서 한국광복군총사령부 성립전례식 거행, 총사령 이청천, 참모장 이범석

1940-09-17
한국광복군총사령부 조직 대원에 여자광복군 정식 입단

1940-10-09
대한민국임시약헌 4차 개헌 공포, 국무위원제를 주석제로 개정

1940-10-09
임시의정원, 국무위원회 주석에 김구 선출

1940-10-25
중국정부, 한국광복군의 중국전선 참전 승인

1940-11-29
한국광복군 총사령부, 충칭에서 시안으로 이전. 군사특파단을 폐지하고 건군공작 착수와 유격전 수행

1941-01-01
무정부주의 계열의 무장조직인 시안의 한국청년전지공작대, 한국광복군 제5지대로 편입. 제5지대장 나월환

1941-02-25
임시정부 주석 김구, 미국대통령 루스벨트에게 임시정부 승인을 요청하는 성명서 발송

1941-06-04
대한민국임시정부 주미외교위원부 규정 공포, 주미외교위원장 이승만을 워싱턴 주재 전권대표로 임명. 10월 16일 임시의정원 추인

1941-06-18
주석 김구, 외교부장 조소앙, 미 대통령에게 임시정부 승인요청 공함 발송

1941-08-29
대한민국임시정부, 루즈벨트, 처칠의 공동선언 환영, 임시정부에 대한 승인과 군비원조 요구, 세계우방 각 민족의 최후 승리를 위한 공동전선 참가 성명

1941-08-29
세계우방 각 민족의 최후 승리를 위한 공동전선 참가 내용의 성명서 발표

1941-11-13
중국군사위원회, 한국광복군 총사령 이청천에게 중국

군사위원회가 한국광복군을 지휘 통할한다는 내용의 한국광복군 9개 행동준승(行動準繩)을 보내옴

1941-11-19
임시정부 국무회의, 중국군사위원회가 제시한 한국광복군 행동준승 9개항 수락 결정. 한국광복군이 중국 원조를 받는 대신 작전지휘권은 중국군이 장악

1941-11-25
임시정부, 워싱턴에 주미외교위원부 설치. 위원장 이승만

1941-11-28
임시정부 국무회의, 광복 후 민족국가 건설 계획인 대한민국건국강령 제정. 임시정부의 정치 이념과 독립전쟁 준비 태세 천명

1941-12
중국 군관학교 전시간부훈련단 국군장교훈련소 특설

1941-12-10
주석 김구와 외무부장 조소앙 〈대한민국임시정부 대일선전성명서(對日宣戰聲明書)〉 발표

1941-12-26
임시정부, 중국 국민당정부에게 원조받기 시작

1942-01-30
주석 김구, 장제스에게 임시정부 승인을 요청하는 〈관어한국임시정부지절략(關於韓國臨時政府之節略)〉 제출

1942-02-25
전 임시의정원장 송병조, 충칭에서 사망

1942-03-01
임시정부, 3·1선언 발표하여 중, 미, 영, 소에 임시정부 승인 요구

1942-04
중국 국민정부 국방최고위원회, 대한민국임시정부 승인안 의결

1942-04-20
임시정부 국무회의, 조선의용대를 한국광복군에 합편키로 결정

1942-04-28
한국광복군 전선공작인원(前線工作人員) 우대잠행규례(優待暫行規例), 국무회의 통과. 6월 24일 공포

1942-05
한국광복군 제1, 2, 5지대를 통합하여 제2지대로 개편. 대장 이범석. 한국광복군 제3지대장에 김학규 임명

1942-05-15
중국군사위원회에서 한국광복군 총사령부에 부사령 직제 증설, 김원봉을 부사령으로 파견하며, 조선의용대를 광복군에 편입하여 제1지대로 개편한다는 내용의 명령 발동

1942-06-11
주자화, 장제스에게 10월 10일 쌍십절을 기해 임시정부를 승인할 것을 건의

1942-06-15
쿠바 하바나에서 열린 전승연합대회(戰勝聯合大會), 대한민국임시정부 승인

1942-07
조선의용대, 조선의용대개편선언 발표하고 한국광복군에 편입

1942-09
한국광복군 총사령부, 시안에서 다시 충칭으로 이동

1942-10-01
한국광복군 제2지대 제3구대 제3분대, 중국 난핑에서 편성. 대장 김문호, 대원 21명

1942-10-20
임시의정원 의원선거에서 조선민족혁명당 등 좌익측 인사 14명 의원으로 선출. 통합정부 이룸

1942-10-26
임시의정원, 의장 홍진, 부의장 최동오 선출

1942-12-05
김원봉, 한국광복군총사령부 부사령 겸 제1지대장으로 취임

1942-12-08
임시의정원, 한국광복군 행동준승 9개항 취소안 의결

1943-02-20
임시정부 외무부장 조소앙, 중국 외교부장 쑹쯔원에게 한국광복군행동9개준승폐지제의서(韓國光復軍行動九個準繩廢止提議書)와 한중호조군사협정안(韓中互助軍事協定案) 제출

1943-05
조선민족혁명당 총서기 김원봉, 주인도 영국군총사령부의 콜린 맥켄지와 조선민족군(朝鮮民族軍) 선전연락대(宣傳連絡隊) 파견에 관한 협정 체결

1943-05
충칭에서 한국애국부인회 재건

1943-06
한국광복군 총사령 이청천, 주인도 영국군 동남아전구사령관 몬트비튼 대장(대리 맥켄지)와 군사상호협정 체결

1943-07-26
임시정부 주석 김구, 외무부장 조소앙 등, 중국군사위원회 접객실에서 장제스와 면담, 카이로회의에서 한국의 독립을 주장해줄 것 요청

1943-08-13
한국광복군, 주인도 영국군의 요청에 의해 사관1대를 인면전구공작대(印緬戰區工作隊)로 파견하여 영국군과 인도, 미얀마 전선에서 공동작전 수행

1943-11-27
카이로선언, '적당한 시기'에라는 조건을 붙여 한국 독립 결의

1943-12-05
임시정부 주석 김구, 카이로선언의 '적당한 시기'라는 표현을 반대하며, 일제가 패망하면 한국은 즉시 독립되어야 할 것을 성명

1944-03
임시정부, 국내공작특파위원회 및 군사외교단 설치, 위원장 김구, 군사외교단장 이청천

1944-03-14
중국국민당 중앙집행위원회 비서장 우톄청, 주석 김구에게 미국의 임시정부 승인방침 서한 발송

1944-04-24
임시의정원, 임시정부 주석 김구, 부주석 김규식을 비롯 14명의 국무위원 선출. 좌우연합정부 구성

1944-05
한국광복군, 주중국 미공군사령관 웨드마이어 장군의 원조로 제2, 3지대에 낙하산 부대를 창설, 훈련 실시

1944-05-26
임시정부, 중국 군사위원회가 제안한 한국광복군 간부훈련반계획개요(幹部訓練班計劃概要) 거부 의결, '한국광복군 9개항 행동준승'폐기 의결

1944-06
임시정부, 중국, 미국, 영국, 소련 등 30여 개 연합국에 정부 승인을 요구. 프랑스와 폴란드 정부, 임시정부 승인을 통고

1944-07-07
장준하 일행, 일본군 부대 탈출

1944-07-07
임시정부 군무부장 김원봉, 한국광복군 9개 행동준승 개정 위한 제3차 한중 회담에서 자주적 운동에 관한 3원칙 주장

1944-08-24
임시정부, 한국광복군 9개 행동준승 취소 선포

1944-10-07
임시정부, 관어한국광복군환문초안(關於韓國光復軍換文草案)과 위한국광복군당면요구조건(爲韓國光復軍當面要求條件)을 중국측에 제시하고 군사협정 체결 요구

1944-10-23
임시정부 국무회의, 한국광복군의 임시정부 귀속에 대비하여 한국광복군총사령부 잠행조직조례(韓國光復軍總司令部暫行組織條例) 확정, 광복군 등급 정리. 12월 9일 공포

1944-11-28
임시정부, 주미외교위원부 외교위원을 임시정부에서 임명한다는 〈재미동포에 대한 포고문〉 공포

1945-01
미군 OSS장교, 이범석의 초청으로 시안 한국광복군 제2지대 방문

1945-01
한국광복군 훈련반 졸업생들, 임시정부를 찾아 충칭 도착

1945-02-09
임시정부, 독일에 선전포고. 2월 28일 임시의정원 동의

1945-02-09
임시정부, 중국정부에 차관 요청

1945-03-08
임시정부 국무회의, 김호, 한시대 등 9명을 샌프란시스코회의 참가대표로 선출

1945-03-15
한국광복군 제6 징모분처 주임 김학규, 쿤밍 미군 제14 항공대 사령관 세놀트와 공동작전을 위한 6개항 합의

1945-03-27
임시정부 국무회의, 한국광복군과 영국군 사이에 체결한 한국광복군 주인도 연락대 파견에 관한 협정 초안 확정

1945-04-01
한국광복군과 미국 OSS, 충칭에서 군사합작 논의, 4월 3일 승인

1945-04-04
중국정부, 새 군사협정안 원조한국광복군판법(援助韓國光復軍辦法)을 임정에 전달. 5월 1일 시행(독자적 군사행동권 획득)

1945-05
시안의 한국광복군 제2지대, 50명의 대원을 선발하여 제1기 OSS훈련 시작

1945-05
시안과 푸양에 한국광복군 특별훈련반 설치

1945-05
임시정부, 중국과 새로운 군사협정으로 원조한국광복군판법(援助韓國光復軍辦法) 체결, 광복군의 독립성과 자주권 회복

1945-06-30
한국광복군 징모 제6 분처, 한국광복군 제3지대 확충 개편. 지대장 김학규

1945-07
임시정부 주석 김구, 중국전구사령관 웨드마이어 장군에게 미군이 제주도를 점령해 줄 것을 요청

1945-07
한국광복군, 국내정진군 총지휘부 설립, 국내 탈환작전 결정. 총지휘 이범석

1945-08-04
한국광복군 제2지대에서 실시한 제1기 OSS훈련 완료, 국내정진 작전 추진

1945-08-07
임시정부 주석 김구, 한국광복군 총사령 이청천 등 19명 시안에 도착, 미국 OSS측과 한국광복군 대원들을 국내에 진입시키기 위한 한미공동작전 논의

1945-08-10
일본, 포츠담선언에서 요구한 무조건 투항을 받아들임. 8월 14일 포츠담선언 수락

1945-08-10
임시정부 주석 김구, 한국광복군 총사령 이청천, 제2지대장 이범석과 협의하여 국내정진대를 편성하고, 이들을 국내로 진입시키기로 결정

1945-08-11
임시정부 주석 김구, 시안에서 도노반 장군과 한미군사협정 체결

1945-08-16
이범석, 김준엽, 장준하, 노능서 등으로 국내정진대를 편성하고 국내 진입 시도

1945-08-17
제39차 임시의정원 개최, 임시정부 주석 김구와 외무부장 조소앙 명의로 미 대통령에게 서신을 보내 전후 문제를 처리하는 데 임시정부도 참가해야 한다고 표명

1945-08-18
임시정부 주석 김구, 시안에서 충칭으로 귀환

1945-08-18
한국광복군 국내정진대, 미국 OSS요원과 함께 C-47기를 타고 여의도 비행장에 착륙

1945-08-21
임시정부 주석 김구, 임시의정원 회의에 출석하여 '임시정권을 해방된 국내 인민에게 봉환한다'는 것과 '정권을 봉환하기 위해 현 임시정부는 곧 입국한다'는 제의안 제출

1945-08-24
임시정부 주석 김구, 장제스에게 임시정부의 귀국 문제 및 교포들의 보호를 요청하는 비망록 제출

1945-09-02
일본, 2차 세계대전 항복문서 조인식

1945-09-10
송진우, 허헌, 여운형 등 국민대회 소집. 임시정부의 조속한 귀국 촉구

1945-09-21
미국무부, 임시정부가 개인 자격으로 귀국하면 미군이 교통수단을 제공하겠다고 함

1945-09-25
중국국민당 우궈정, 주중 미국대사관을 방문하여 미국이 임시정부를 승인하면 중국도 승인하겠다는 의사 전달

1945-09-26
임시정부 주석 김구, 장제스를 면담하고 환국 문제와 임시정부 승인 문제를 미국과 협상하여 줄 것 요청

1945-10
중국에 있는 한인청년들을 한국광복군으로 편입시켜 한커우, 난징, 항저우, 상하이, 베이핑, 광둥 등 6개 도시에 잠편지대(暫編支隊) 편성

1945-10-09
한국광복군 인면전지공작대(印緬戰地工作隊) 9명 전원, 인도 콜카타에서 중국 충칭으로 귀환

1945-10-16
이승만 귀국

1945-10-24
중국국민당이 임시정부 요인 및 임시의정원 의원을 상청화원으로 초청하여 환송연

1945-11-01
임시정부, 중국에 산재한 교포들의 업무를 담당할 기구로 주화대표단 설치, 단장 박찬익

1945-11-04
장제스, 임시정부 요인들을 환송하는 다회 개최

1945-11-05
임시정부 요인들, 충칭을 출발하여 상하이에 도착

1945-11-23
김구 주석 등 임시정부 요인 1진 15명 환국

1945-12-01
임시의정원 의장 홍진을 비롯한 임시정부 요인 2진 22명 상하이 출발, 다음날 서울에 도착

1945-12-03
경교장에서 임시정부 국무회의 개최

1946-05-09
임정 요인 및 가족, 난민 자격으로 귀국

참고도서

『장강일기』, 정정화, 학빈사

『민들레의 비상』, 지복영, 민족문제연구소

『돌베개』, 장준하, 돌베개

『백범일지』, 김구, 돌베개

『朝鮮民族運動年鑑』, 재상

『1910年代의 韓國獨立運動』

『新民會의 創建과 그 國權恢復運動』

『韓國獨立運動之血史』

『안응칠 역사』, 안중근, 안중근의사 기념관

『국역 고등경찰 요사』, 김희곤 · 박병원 · 류시중 역주, 도서출판 선인